W9-BDM-560

Français

Manuel de l'élève

Jocelyne Cauchon
Louise Jutras
Ginette Létourneau

GRAFICOR
MEMBRE DU GROUPE MORIN
171, boul. de Mortagne, Boucherville (Québec) J4B 6G4
Tél. : (450) 449-2369 Téléc. : (450) 449-1096

Supervision du projet et révision linguistique
Sylvie Lucas

Direction artistique
André Gratton

Mise en pages
Diane Parenteau

Mascottes
Daniel Dumont

Cartes Oreillimot et étiquettes-mots
Andrée Chevrier

L'éditeur tient à remercier les enseignants et les enseignantes qui ont expérimenté la version provisoire de la collection Tous azimuts *et qui ont permis, par leurs commentaires et leurs suggestions, de concevoir cette version finale.*

Données de catalogage avant publication (Canada)

Cauchon, Jocelyne, 1953-

Tous azimuts : 1er cycle du primaire, Manuel A

ISBN 2-89242-803-3

1. Lectures et morceaux choisis (Enseignement primaire). I. Jutras, Louise. II. Létourneau, Ginette, 1956- . III. Titre.

PC2115.T685 1999 Suppl. 448.6 C00-941954-3

Nous reconnaissons l'aide financière du gouvernement du Canada par l'entremise du Programme d'aide au développement de l'industrie de l'édition pour nos activités d'édition.

Dépôt légal 1er trimestre 2001
Bibliothèque nationale du Québec

ISBN 2-89242-803-3
Imprimé au Canada 1 2 3 4 5 6 – 6 5 4 3 2 1

Illustrations
Christine Battuz, p. 20, 21, 24, 26, 37, 80, 81, 102, 103 ;
Andrée Chevrier, p. 13, 16, 22, 74, 75 ;
Robert Dolbec, p. 79 ;
Daniel Dumont, p. 5, 6, 10, 19, 70, 76, 77, 84-86 ;
Marie-Claude Favreau, p. 7, 28, 29, 32, 34-36, 38, 39, 52, 60-67 ;
Steeve Lapierre, p. 9, 12, 14, 15, 23, 25, 30, 31, 40-46, 49, 53, 54, 68, 69, 71-73, 83, 93-95, 97-99, 106-108 ;
Joanne Ouellet, p. 78, 89 ;
François Thisdale, p. 11, 27, 33, 47, 59, 82, 90, 96, 100, 101, 105.

Photos
La Terre de chez nous, p. 56 (1) ;
Les Abris Tempo, p. 18 (10) ;
Joe Atlas / Artville, p. 104 (4, 7, 9) ;
School Tools / Artville, p. 51 (2,7) ;
Sporting equipment / Artville, p. 51 (3,6) ;
Micheline Blanchette, p. 70 (C) ;
Corel, p. 18 (1, 5, 11), 50 (1), 55 (2, 3, 4, 5, 6, 7, 8, 9), 56 (3), 57 (1, 2, 3), 70 (E), 88 (1, 2, 4, 5, 7, 10), 91 (1, 3, 4), 92 (1, 2), 97 (3, 5, 6) ;
Cousteau Society / The Image Bank, p. 56 (2) ;
Pierre Dauth, p. 18 (2, 6) ;
Arto Dokouzian, p. 72, 73, 94, 95, 97 (1, 7), 104 (1, 2, 6, 10);
Robert Dolbec, p. 51 (3, 5) ;
Rachel Giroux, p. 88 (3) ;
Élise Guévremont, p. 30, 31 ;
Hachette Livre, p. 53 ;
Daniel Houde, p. 50 (2), 70 (D) ;
Mireille Imbeau, p. 70 (A, B) ;
Jardin botanique de Montréal, p. 18 (7, 8, 9), Roméo Meloche p. 97 (2), MRNQ 91 (2) ;
Ministère des Ressources naturelles du Québec, p. 55 (1), 88 (9) ;
PhotoDisk, 18 (3), 92 (3), 97 (8), 104 (3, 5, 8) ;
Réflexion Photothèque, Noble Stock / INT'L STOCK p. 51 (1), Wayne Aldridge 88 (8), 97 (4) ;
Super Stock, p. 17, 87 ;
Tony Stone Images, Laurence Monneret p. 88 (6) ;
Ville de Montréal, p. 18 (4).

Page couverture
Collage : Steeve Lapierre
Photos : Marie-Claire Borgo et Linda Tremblay

Table des matières

Ça commence

Ça revient

Ça bouge

Ça fait peur

C'est venu au monde

Ça grandit

C'est amusant

Ça reviendra

C'est génial

 Situation d'écriture

 Activité de sciences et technologie ou d'univers social

Avec *Tous azimuts*, tu vivras une foule de projets et d'excursions au fil des thèmes.

Dans chaque excursion, il y aura :

- un départ ››› tu te prépares ;
- un parcours ››› tu es en route ;
  ››› tu regardes certains aspects ;
- une arrivée ››› tu organises tes découvertes.

Ça commence

Thème 1

- Nomme les chansons que tu as apprises à la maternelle.
- Indique la partie de cette chanson qui est répétée plusieurs fois.

Lis pour apprendre une chanson et pour faire part de ce que tu penses de ta rentrée scolaire. Ensuite, tu pourras chanter cette chanson à ta famille.

Azimut

Azimut  *, attention !*
Prends ton baluchon 
Azimut, nous partons
Dans toutes les directions

1 Je suis en première année
La tête pleine d'idées
J'ai tout à explorer
Et tout à partager

2 Lire, c'est important
Écrire, tout autant
L'école, c'est épatant
Allez, viens, je t'attends

3 Des amis retrouvés
De nouveaux à aimer
Et pour bien commencer
Tiens, allons chanter !

Denise Hébert

- Explique comment tu peux faire pour apprendre cette chanson.
- Dis ce que tu penses de ta rentrée scolaire.

• Explique de quoi parle ce texte.

Lis pour connaître les goûts d'Azimut. Ensuite, ce sera à toi de décrire ce que tu aimes et de comparer tes goûts à ceux de tes amis. Ça t'aidera à les connaître.

Les goûts d'Azimut

• Dis ce qu'Azimut aime et n'aime pas.
• Écris ou dessine ce que tu aimes et ce que tu n'aimes pas. Utilise la fiche qu'on te remet.

- Explique ce que tu vas faire à l'école cette année.

À l'école, je vais...

compter

lire et écrire

faire des découvertes

créer

classer

faire de l'exercice

chanter

connaître les autres

travailler en équipe

- Explique les différences entre la maternelle et cette année.

1. Décris les figures qui contiennent une seule lettre.

La collection Tous azimuts *vous encourage à aider votre enfant. Chaque fois que vous verrez cette petite maison, vous trouverez une réponse à une question que les parents se posent souvent.*

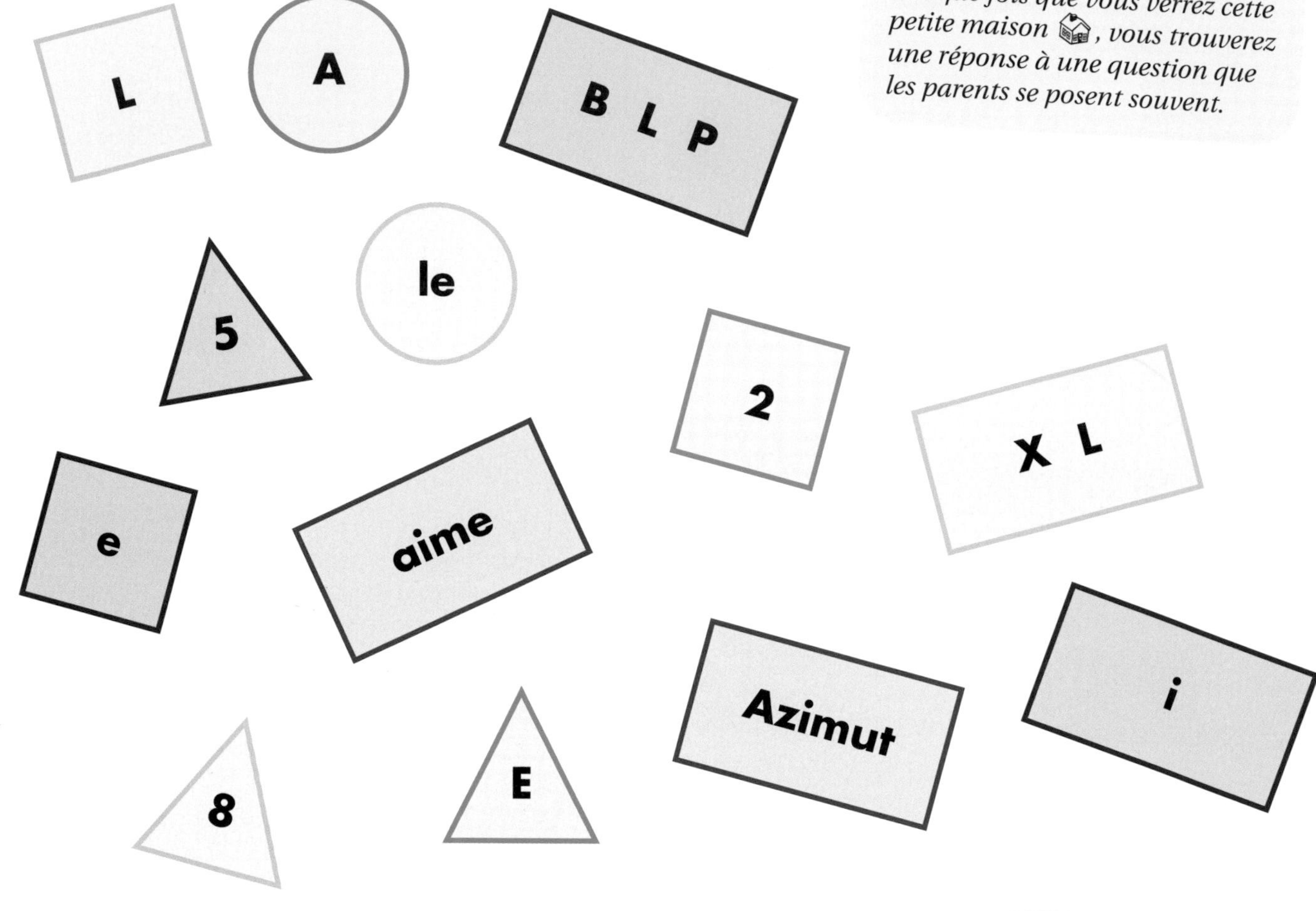

Je regarde partout, car je suis curieuse !

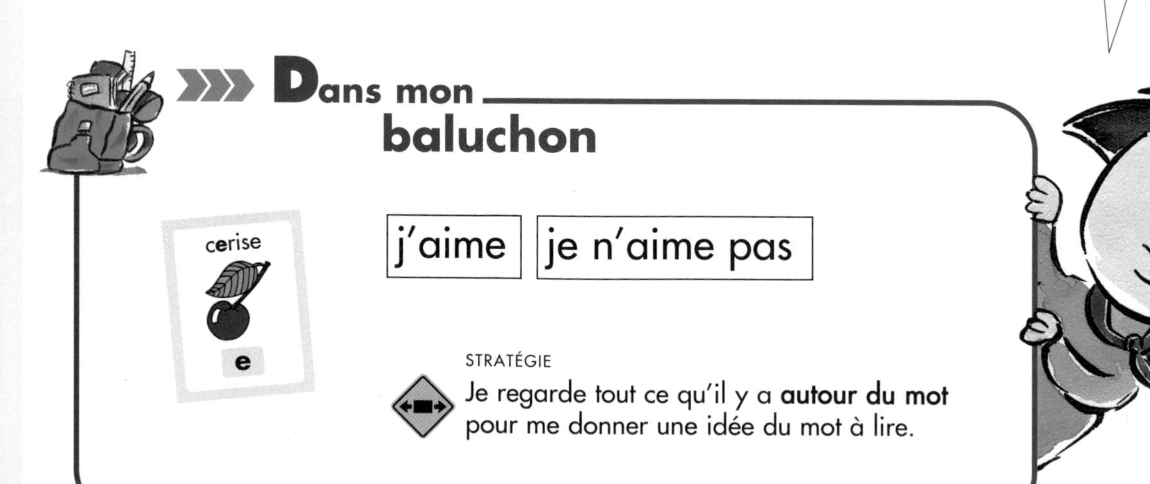

• Dis ce que tu as appris et aimé dans cette excursion.

Ton projet

Fais connaissance avec tes amis...

Comment pourrais-tu apprendre à mieux connaître tes amis de classe ?

- De quelle façon peux-tu apprendre à connaître les autres ? en leur posant des questions ? en faisant une activité avec eux ? en pratiquant un sport avec eux ? en leur demandant de se décrire ?
- Que veux-tu savoir sur tes amis ?
- Comment peux-tu présenter ce que tu as découvert sur tes amis ?

Présente ta production et évalue-la avec ta classe.

• Nomme les lettres que tu reconnais dans le texte.

Lis une comptine pour jouer avec les sons et pour apprendre les lettres. Ensuite, amuse-toi à la transformer avec les prénoms de tes amis.

La comptine de l'alphabet

A B C Céline câline Cédric.

D E F François félicite Fannie.

G H I Isabelle imite Ian.

J K L Léo lave Lili.

M N O Olga obéit à Omar.

P Q R Rosalie relève Rémi.

S T U Ursule mesure Ugo.

V W X Xavier excuse Xaviera.

Y Z Zénith zigzague vers Zéphyr.

La comptine de l'alphabet dans *Les lettres*, Anaël Dena, © NATHAN / HER, Paris, France, 1995.

• Dis ce qui t'amuse dans cette comptine.

1. a) Pointe et nomme les lettres de ce clavier d'ordinateur.
   b) Pointe et nomme les lettres de ton prénom.

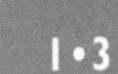

Dans mon baluchon

Alizé	Azimut	Azur	Zénith	Zéphyr

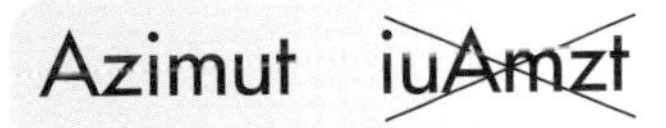

Un mot est un groupe de lettres qui veut dire quelque chose et qui est séparé des autres par un espace.

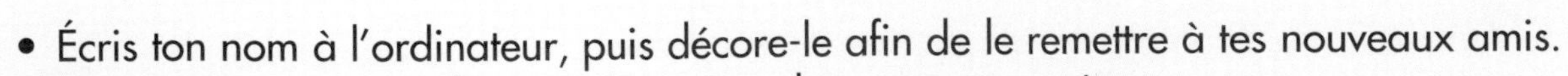

- Écris ton nom à l'ordinateur, puis décore-le afin de le remettre à tes nouveaux amis.
- Dis ce que tu penses de ta participation dans cette excursion.

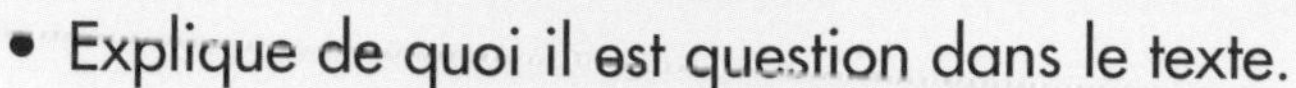

- Explique de quoi il est question dans le texte.
- Discute avec tes camarades de l'utilité de l'illustration.

Lis pour découvrir ce qui attriste Tristan et pour voir si tu te sens comme lui. Ça t'aidera à mieux comprendre comment tu vis ta rentrée scolaire.

Tristan est triste

Tristan aime l'école,
mais il est triste. Son ami
Jules n'est pas dans sa classe.

« J'aime mon livre.
J'aime mes cahiers
et mon sac rouge.
Je n'aime pas ma place.
Je suis loin de la fenêtre.
Je suis triste. Je m'ennuie de Jules
et de la maternelle.

J'ai une idée... Demain,
mon ami Jules sera
avec moi ! »

Michèle Marineau

- Dis pourquoi Tristan est triste.
- Explique comment tu te sens en pensant à la maternelle. Utilise la fiche qu'on te remet.

1. Pour se rendre à l'école, Alizé doit passer par les mots illustrés qui contiennent le son **l**. Nomme les illustrations qu'elle rencontre.

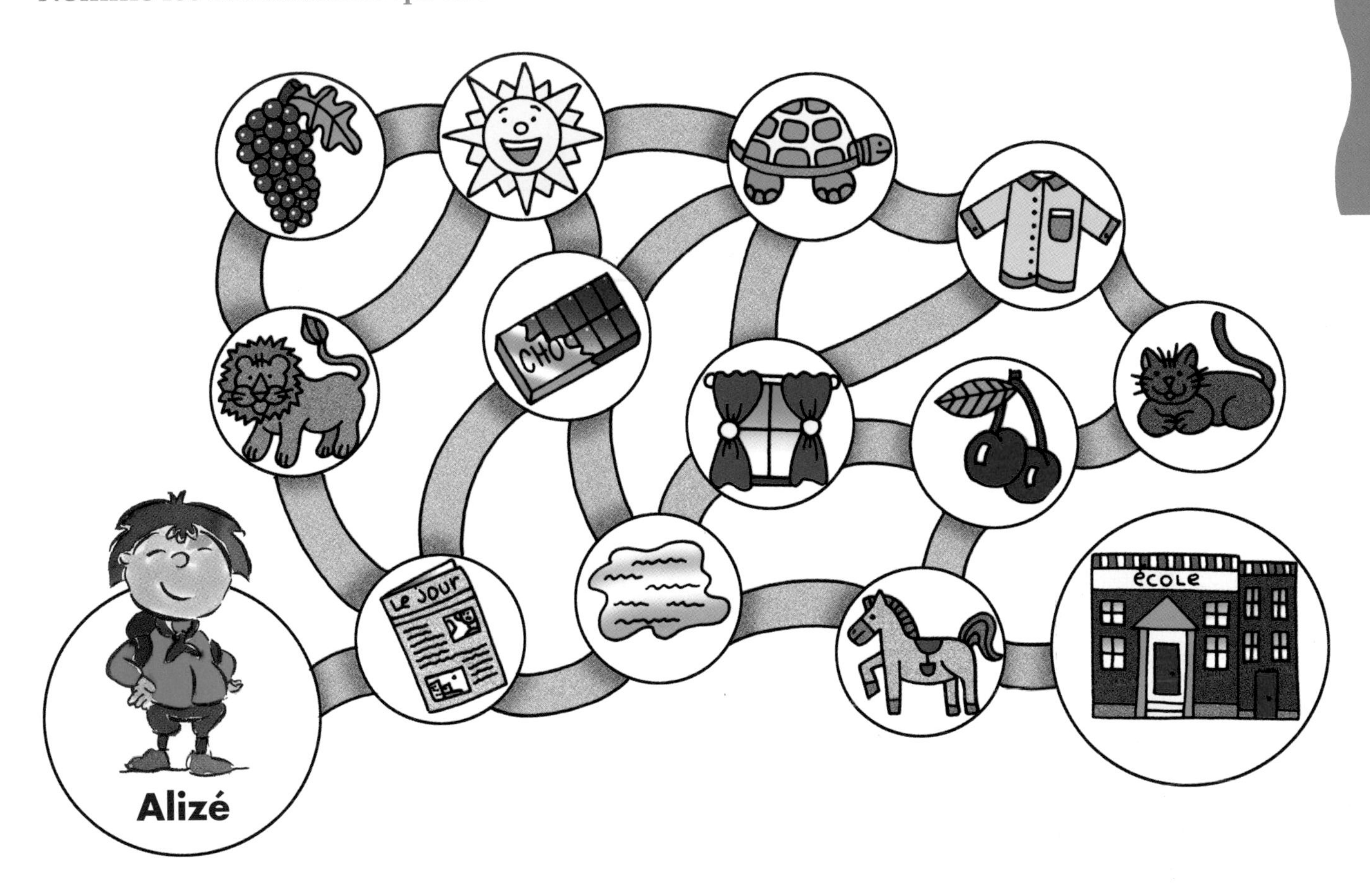

À quoi servent les étiquettes-mots?

Les étiquettes-mots présentent des mots qu'on rencontre souvent dans les textes. Votre enfant doit apprendre à les reconnaître d'un seul coup d'œil. Le simple fait de reconnaître beaucoup de mots l'aidera à lire tout de suite de courts textes.

- Dis ce que tu penses de tes progrès en lecture.

- Dis qui tu reconnais dans l'illustration.
- Lis les mots que tu reconnais d'un seul coup d'œil.

Lis pour découvrir comment Tristan se sent maintenant et pour comparer tes sentiments aux siens. Ça t'aidera à mieux comprendre comment tu vis ta rentrée scolaire.

1•5

Tristan est-il encore triste ?

Lundi, Tristan court vers l'école. Il a hâte de retrouver ses amis.

« Je fais plein de choses à l'école. Je lis, j'écris et je chante. Je colorie aussi. Chaque jour, je fais quelque chose de différent.

J'ai beaucoup de livres et de cahiers. »

« Le soir, je fais des travaux avec papa  et maman .
J'ai aussi de nouveaux amis. »

Vendredi, Tristan va rapporter ses photos de la maternelle.

Il est tellement occupé qu'il n'a plus le temps de s'ennuyer.

Michèle Marineau

- Explique comment Tristan se sent maintenant.
- Dis aussi comment tu te sens.

1. **Pour se rendre à la maison, la grenouille Azur doit passer par les mots illustrés qui contiennent le son a. Nomme les illustrations qu'elle rencontre.**

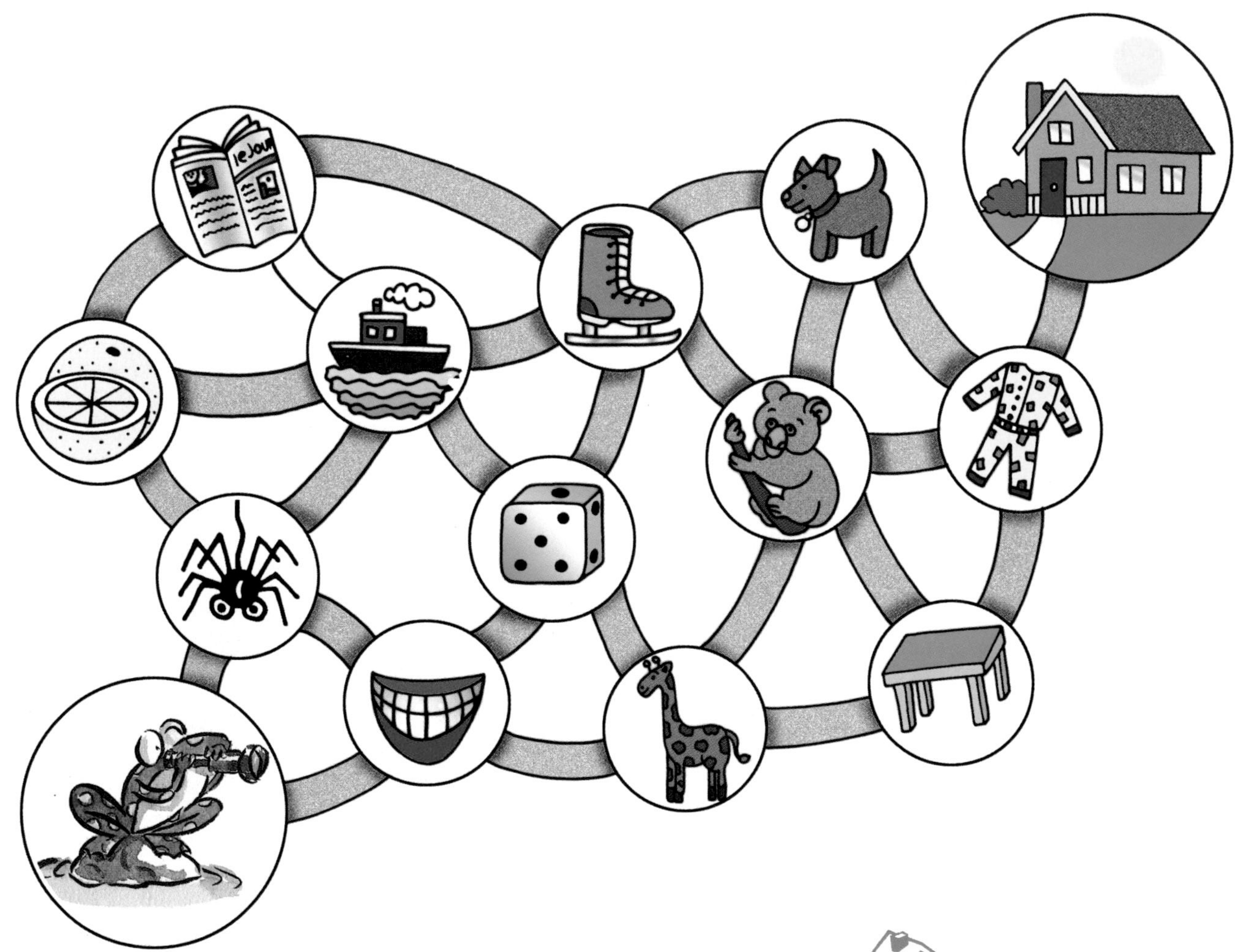

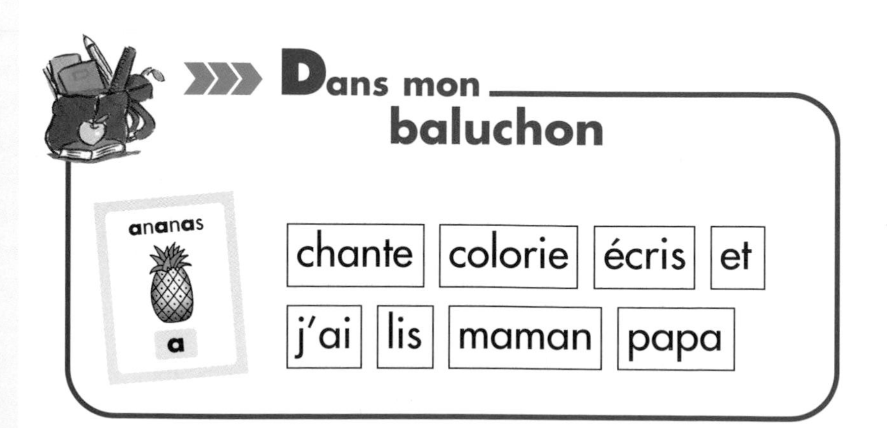

Pourquoi lire des mots avant d'apprendre toutes les lettres ?

Votre enfant lit peut-être déjà le mot ARRÊT des panneaux de signalisation sans nécessairement en connaître toutes les lettres. C'est parce que les mots ont l'avantage d'avoir plus de sens que les lettres à elles seules.

Bientôt, votre enfant utilisera les lettres pour lire les mots qu'on ne reconnaît pas au premier coup d'œil.

- Dis ce que tu fais de différent chaque jour de la semaine.
- Explique ce que tu as préféré faire dans ce thème.

Ça revient

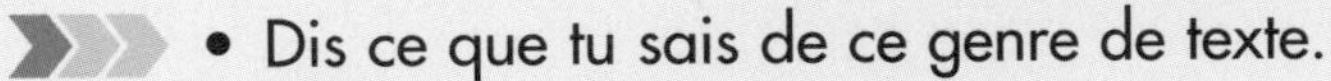

- Dis ce que tu sais de ce genre de texte.
- Observe et décris le tableau.

Lis pour apprendre une chanson sur l'automne et pour exprimer la beauté de cette saison par un collage. Ça t'aidera à explorer ton environnement en ce temps de l'année.

Chantons l'automne

Printemps, été, automne, hiver
Les jours, les nuits s'en vont, s'en viennent
Printemps, été, automne, hiver
Les saisons passent et puis reviennent

1

Avec du jaune, du brun, du rouge
J'aime les feuilles, le vent qui bouge
Avec la couleur orange ou brune
J'aime l'automne au clair de lune

2

Avec du noir, du bleu, du vert
Tu colories le ciel, la terre
Avec des ombres, de la lumière
Tu colories tout l'univers

Michèle Marineau

Allée des Alyscamps, 1888, Vincent Van Gogh

- Explique ce que tu vas faire pour apprendre cette chanson.
- Nomme les mots de cette chanson qui te font penser à l'automne.

- Observe ces photos et communique oralement ce qu'elles t'apprennent sur l'automne : les activités des gens, les animaux, les plantes et les arbres.

Images d'automne

- Qu'est-ce qui revient chaque automne ?
- Qu'est-ce qui arriverait si on passait directement de l'été à l'hiver ?

1. **Regarde l'illustration et dis si chaque énoncé est vrai ou faux.**

- ● Zénith chante.
- ■ Alizé colorie dans le livre.
- ▲ Azimut aime le jaune et le vert.
- ★ Azimut lit à l'école.
- ✚ Zéphyr écrit « Papa ».

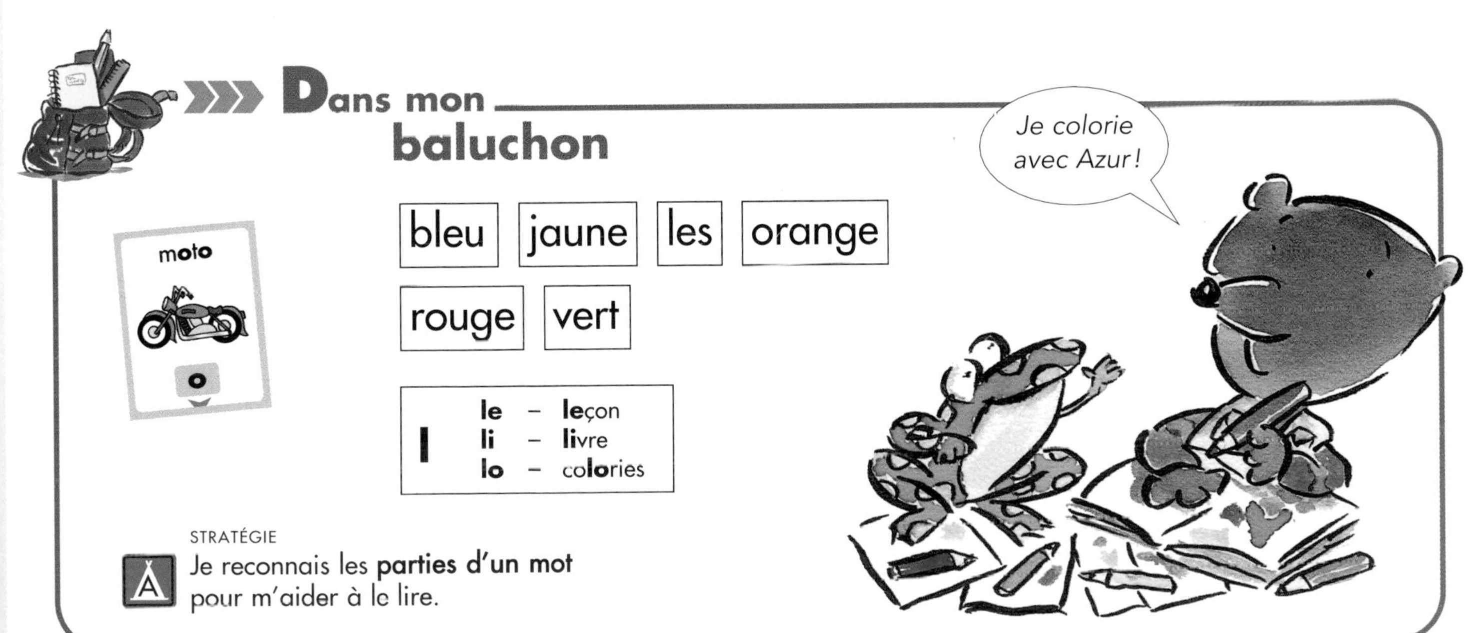

Dans mon baluchon

bleu | jaune | les | orange

rouge | vert

l

- **le** – **le**çon
- **li** – **li**vre
- **lo** – co**lo**ries

STRATÉGIE

Je reconnais les **parties d'un mot** pour m'aider à le lire.

- Explique ce que tu as appris et aimé dans cette excursion.
- Dis ce que tu penses de ton collage sur l'automne.

- Explique de quoi il est question dans ce texte.
- Lis les mots que tu reconnais d'un seul coup d'œil.

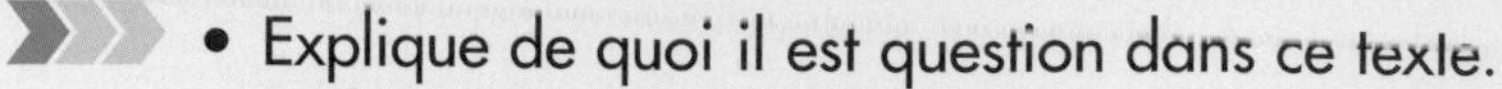

Lis pour t'amuser avec les sons et pour comparer les activités décrites aux tiennes. Ça te permettra de mieux comprendre l'ordre de tes activités à l'école et à la maison.

Toute la journée

Tôt le matin,
Maman fait des rôties.

L'avant-midi,
J'écris à mon ami Arthur.

L'après-midi,
Je fais de la peinture.

Le soir venu,
Je joue avec mon lapin Lulu.

La nuit tombée,
Mon lapin préféré est sous l'oreiller.

Johanne Robert

- Nomme les étapes de la journée.
- Dis si tes activités ressemblent à celles de la comptine.

1. **Lis cet extrait de la comptine à voix haute. Complète-le par les mots suggérés ou par d'autres de ton choix.**

● Tôt le matin,
Maman fait des ....

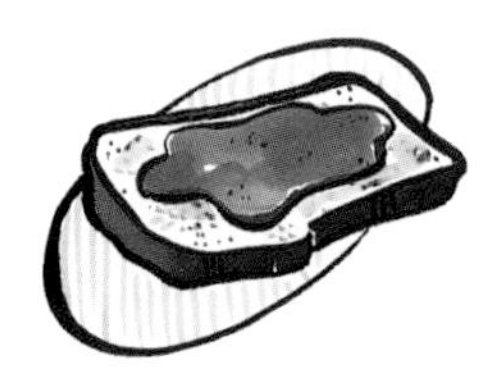
rôties

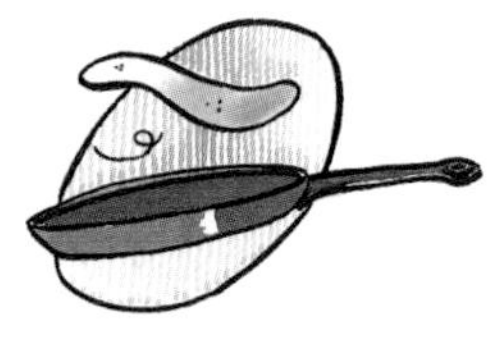
crêpes

■ 
L' avant-midi,
J' écris à mon ....

ami

papa

▲ 
L' après-midi,
Je ....

colorie

chante

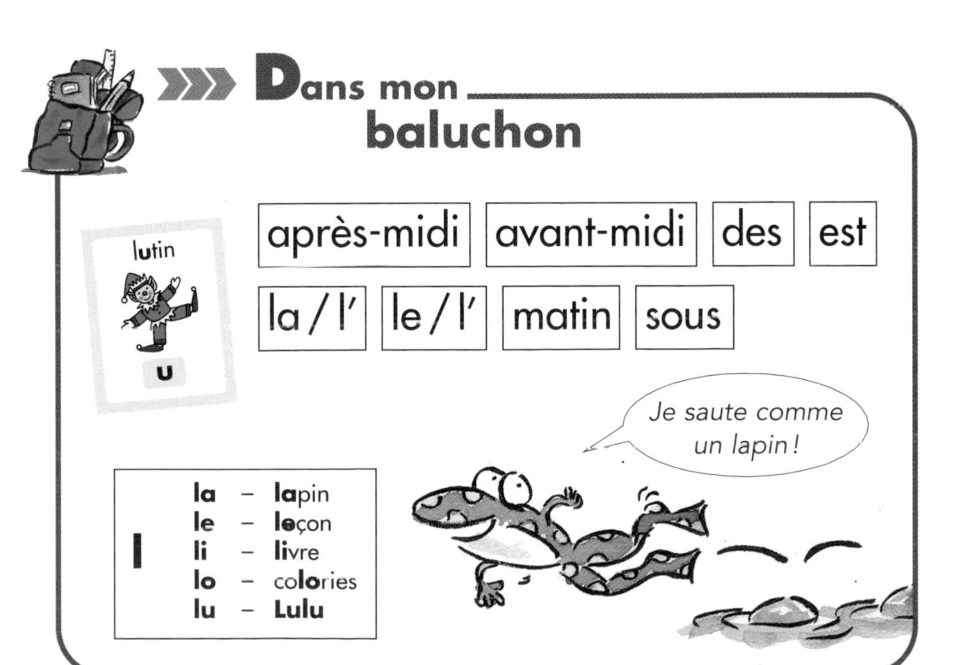

À quoi servent les pages avec ⋙ *?*

Ces pages servent à approfondir des notions.
On y trouve :
- *les mots à reconnaître d'un seul coup d'œil* matin *;*
- *les mots à apprendre à écrire* ✎ *;*
- *des stratégies pour mieux lire et écrire.*

Il est bon de revoir avec votre enfant le contenu de ces pages.

• Dis ce que tu fais à l'école les avant-midi et les après-midi.

• Rappelle-toi le texte de la comptine.

Fabrique un outil pour te rappeler les étapes de la journée. Écris ou dessine une activité que tu fais à chaque étape. Ça te permettra de mieux comprendre l'ordre de tes activités à l'école et à la maison.

Le cadran du jour

1. **Observe le modèle. Où sont inscrites les étapes de la journée ? Lis-les à voix haute.**

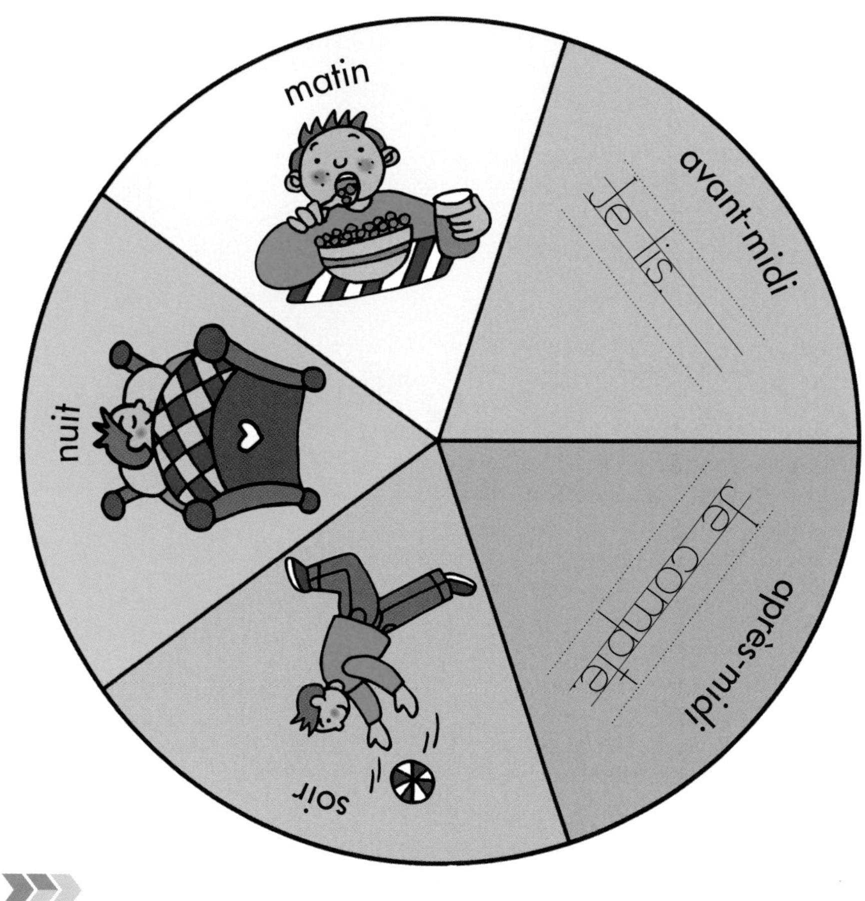

Pourquoi commencer à écrire avant de savoir tracer toutes les lettres ?

Lorsque votre enfant a commencé à parler, sa prononciation n'était pas nécessairement correcte. Et pourtant, vous ne lui avez pas interdit de parler ! C'est pourquoi on l'invite à écrire, même si le tracé des lettres n'est pas parfait. Peu à peu, votre enfant apprendra à mieux tracer toutes les lettres.

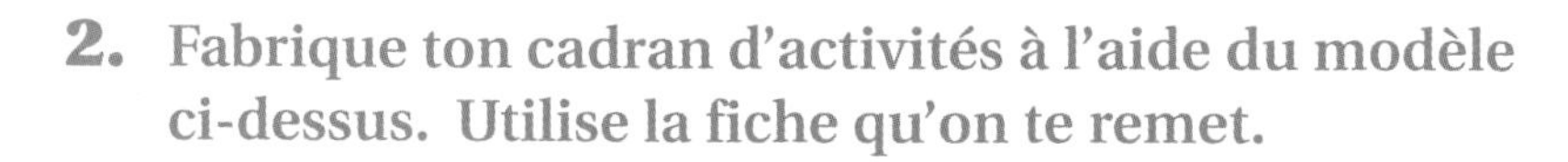

2. **Fabrique ton cadran d'activités à l'aide du modèle ci-dessus. Utilise la fiche qu'on te remet.**

3. **Relis ton texte et vérifie-le.**

- As-tu présenté une activité à chaque étape ?
- As-tu respecté le code ?

- Récris ton texte au propre et montre-le à tes camarades.
- Explique ta plus grande difficulté en écriture.

Ton projet

Fabrique un pantin

Comment peux-tu fabriquer un pantin de ta grandeur ?

- À quoi ou à qui ressemblera-t-il ?
- De quel matériel as-tu besoin pour le fabriquer ?
- Comment peux-tu mesurer la longueur de ses membres ?
- Quel nom lui donneras-tu ?

Présente ta production et évalue-la avec ta classe.

- Observe les illustrations. Trouve de quelles parties du corps il est question dans le texte.
- Lis les mots que tu reconnais d'un seul coup d'œil.

Lis pour apprendre une comptine et pour la mimer à deux.
Ça te permettra de bouger et de te détendre.

3•1

Olé ! olé ! olé !

Oh ! miroir enchanté
Dis-moi comment bouger
Olé! olé! olé!

Tape tes mains dans mes mains
Tape du pied au plancher
Olé! olé! olé!

Touche mon nez doucement
Mes oreilles en passant
Olé! olé! olé!

Mets une main sur tes yeux
Cache l'autre bras derrière toi
Olé! olé! olé!

Penche ta tête en arrière
Pose tes fesses par terre
Assez bougé. Olé! olé!

Johanne Robert

- Mémorise et mime cette comptine.

- Quelles parties du corps connais-tu ?
- Que sais-tu des articulations ?

Des articulations

1. **Une articulation est une partie du corps qui tourne ou qui plie. Nomme les mots qui correspondent à des articulations sur cette illustration.**

nez
œil
épaule
cou
coude
hanche
poignet
jambe
cheville
pied

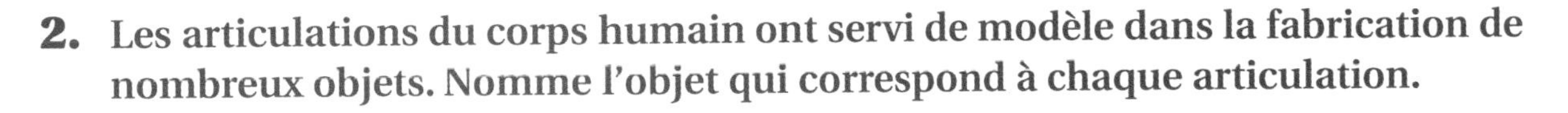

2. **Les articulations du corps humain ont servi de modèle dans la fabrication de nombreux objets. Nomme l'objet qui correspond à chaque articulation.**

- Qu'as-tu appris sur les articulations ?

1. **Mime une des phrases et demande aux autres d'indiquer celle que tu as choisie.**

★ Je mets la main sous mon livre.

✚ Je mets le bras sur ma tête.

■ Je mets le livre sur ma tête.

▲ Je mets le livre sous ma main.

● Je mets la main sur mon bras.

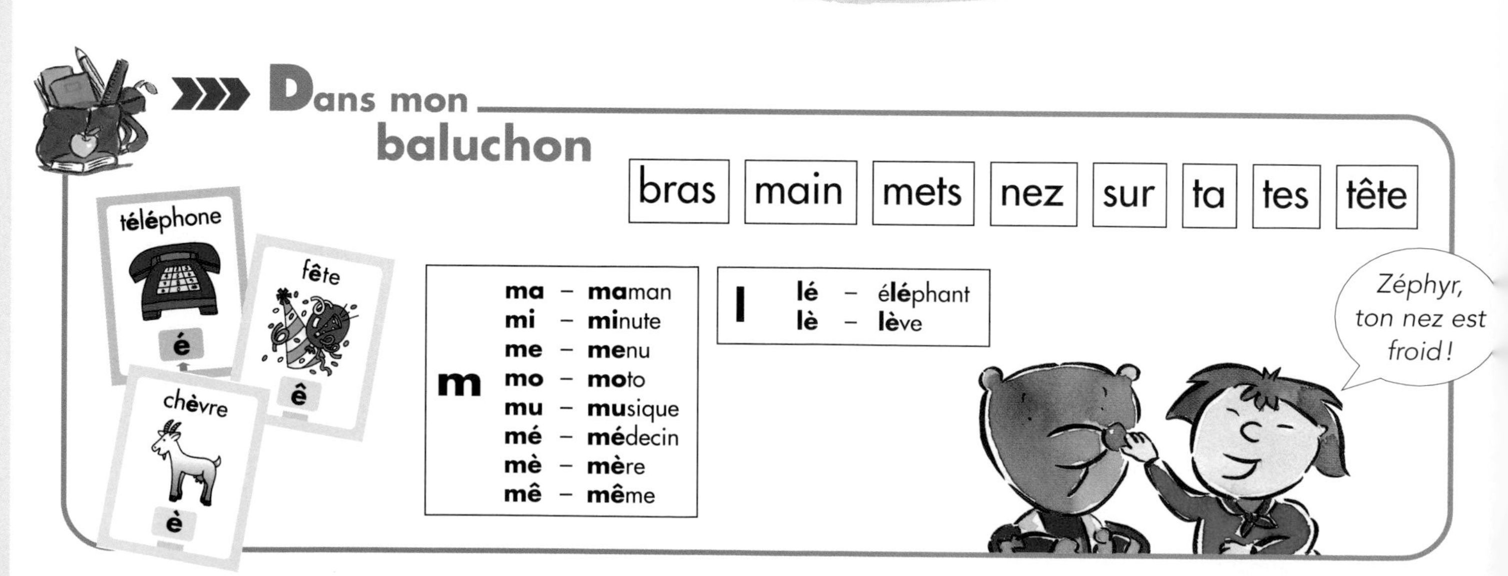

- Décris d'autres façons de te détendre.
- Nomme des comptines ou des chansons que tu connais sur les parties du corps.

- Rappelle-toi les parties du corps mentionnées dans le texte.
- Trouves-en d'autres.

Écris deux consignes pour faire bouger tes amis. Ça te permettra de découvrir des mouvements que tu peux faire.

Fais bouger tes amis

1. **Observe ce modèle. Où sont inscrites les parties du corps ? Lis-les à voix haute.**

2. **Écris deux consignes pour faire bouger tes amis, à l'aide du modèle ci-dessus. Utilise la fiche qu'on te remet.**

3. **Relis tes consignes. Vérifie-les à partir des questions suivantes.**

- As-tu noté les parties du corps ?
- As-tu respecté le code ?

- Récris tes consignes au propre et lis-les à un ou à une camarade.
- Demande-lui son opinion sur les mouvements que tu lui suggères de faire.

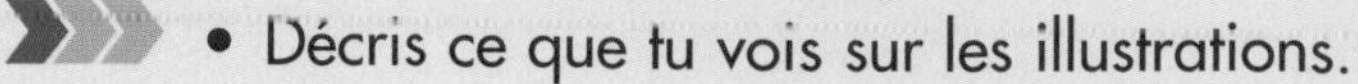

- Décris ce que tu vois sur les illustrations.
- Dis comment tu fais pour reconnaître les mots.

Lis pour savoir ce qui arrive à Rahim et pour découvrir ses sentiments. Ça t'amènera à réfléchir à ta façon de manifester de la tristesse.

3•2

Comète

Rahim ne veut pas se lever.

Il s'ennuie de son chien Comète.

Comète est blessé à la tête.

« Il est chez le vé… le vété…

le docteur pour chiens. »

Son frère lui demande de jouer au ballon.

Rahim ne se lève pas. Son père lui offre

de la crème glacée. Il ne bouge pas.

Sa mère lui apporte une boîte

qui bouge. La boîte s'ouvre !

Comète est dans la boîte.

Il est guéri ! Rahim se lève.

Comète part

avec ses chaussettes !

Il veut jouer.

Serge Bureau

- Dis ce que fait chaque personnage. Utilise la fiche qu'on te remet.
- Explique comment tu réagirais si tu étais à la place de Rahim.

1. Voici la montagne du récit *Comète.*
Quelle illustration indique le début de l'histoire ? la fin de l'histoire ?
Comment se sent Rahim au début et à la fin de l'histoire ?
Raconte l'histoire à l'aide des illustrations.

Dans mon baluchon

râteau

r

r	ra	– **ra**quette
	re	– **re**nard
	ri	– **ri**z
	ro	– **ro**bot
	ru	– **ru**e
	ré	– **ré**veil
	rè	– **rè**gle
	rê	– **rê**ve

avec | ballon | bouge

chien | il | pour | une

Je joue avec mon ballon.

Une **phrase** commence par une **majuscule** et se termine par un **point**, un point d'interrogation ou un point d'exclamation.

- Raconte à la classe une situation où tu as vécu de la tristesse, puis de la joie.
- Dis ce que tu penses de tes progrès en lecture.

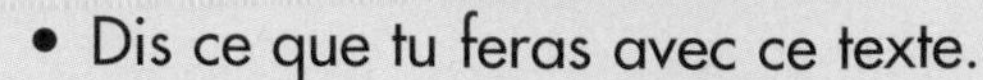

- Dis ce que tu feras avec ce texte.
- Raconte comment tu fais tes bricolages habituellement.

Lis les consignes pour fabriquer un serpent. Ensuite, deux à deux, fabriquez-en un et inventez-lui une aventure. Ça vous donnera l'occasion d'apprendre à travailler en équipe.

3•3

Le serpent

1. Dessine une tête et une queue de serpent.
Découpe-les.

2. Perce un trou pour faire un œil.
Colle une langue dans sa gueule.

3. Colle la tête et la queue à chaque extrémité d'une bande de carton pliée en accordéon.

4. Découpe le corps du serpent.
Donne-lui une forme arrondie.

5. Décore ton serpent avec tes crayons ✎
et du papier de couleur.

6. Colle une paille derrière la tête
et une autre derrière la queue.
Ça t'aidera à le faire bouger.

Trouve-lui un nom et amuse-toi !

- Dites ce que vous pensez de votre serpent.
- Inventez une aventure à votre serpent et communiquez-la oralement à la classe.

1. **Lis chaque phrase et dis si la situation est possible ou impossible.**

2. **Lis les mots suivants.**

- ● une céréale
- ■ Luce
- ▲ sème
- ★ ceci
- ✚ un salut
- ❀ lisse
- ▬ un céleri
- ✪ Alice
- ✱ un reçu

Comment réviser les étiquettes-mots ?

- *Faites lire et classer les mots des étiquettes selon leurs difficultés (ceux que je lis sans aide, avec un peu d'aide et avec beaucoup d'aide).*
- *Remettez à votre enfant un jeton pour chaque mot lu sans aide. Reprenez la lecture des mots pour essayer d'amasser plus de jetons.*

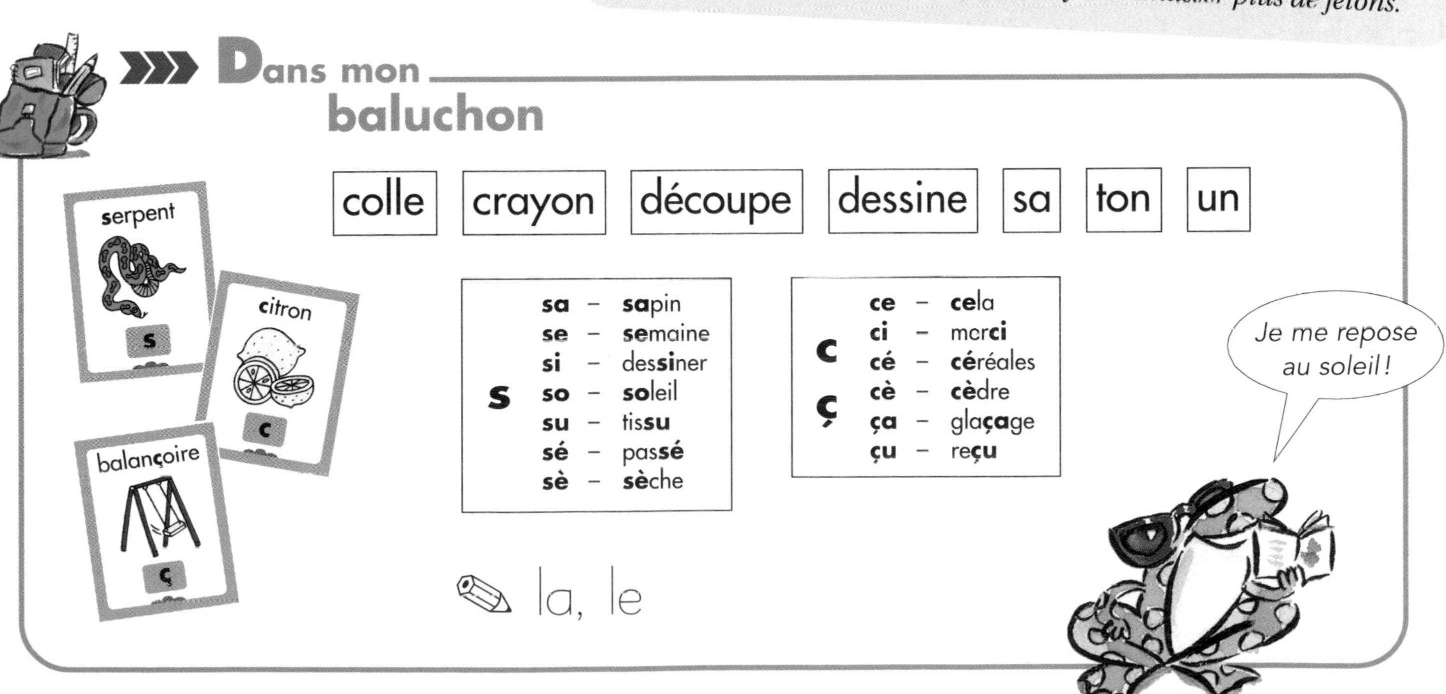

Dans mon baluchon

colle | crayon | découpe | dessine | sa | ton | un

s	**sa**	–	**sa**pin
	se	–	**se**maine
	si	–	des**si**ner
	so	–	**so**leil
	su	–	tis**su**
	sé	–	pas**sé**
	sè	–	**sè**che

c	**ce**	–	**ce**la
	ci	–	mer**ci**
	cé	–	**cé**réales
ç	**cè**	–	**cè**dre
	ça	–	gla**ça**ge
	çu	–	re**çu**

✎ la, le

- Explique ce que tu aimes du travail en équipe.

 • Décris ce que fait cette enfant.

Lis pour découvrir les activités que fait cette enfant. Tu pourras ensuite les comparer à ce que tu peux faire ou veux faire sans aide. Ça t'aidera à mieux te connaître.

Je suis capable toute seule !

3•4

Je prépare mon petit déjeuner, et c'est vite fait ! Je pèle mon kiwi et je verse mon lait.

Je boucle ma ceinture, je lace mes souliers et vite mon manteau est tout boutonné.

Je peux me brosser les dents et même faire mon lit, mais quand je suis pressée, quelquefois j'oublie !

Je peux rouler plusieurs kilomètres à vélo.
Je saurai même faire du ski très bientôt !

Je clique à l'ordinateur, je lis des histoires
et je m'applique à bien faire mes devoirs.

Soir ou matin, je m'occupe de mon petit frère.
Je l'aide même à manger son dessert !

J'ai enfin six ans
et je veux faire comme les grands !

- Décris à un ou à une camarade les activités que tu peux faire sans aide.
  Utilise la fiche qu'on te remet.

1. Complète oralement les phrases ci-dessous en pensant à chacune des situations illustrées.

▲ J'aime…

● Je peux…

■ Je veux faire…

À l'école

Dans la cour

Dans mes travaux

En équipe

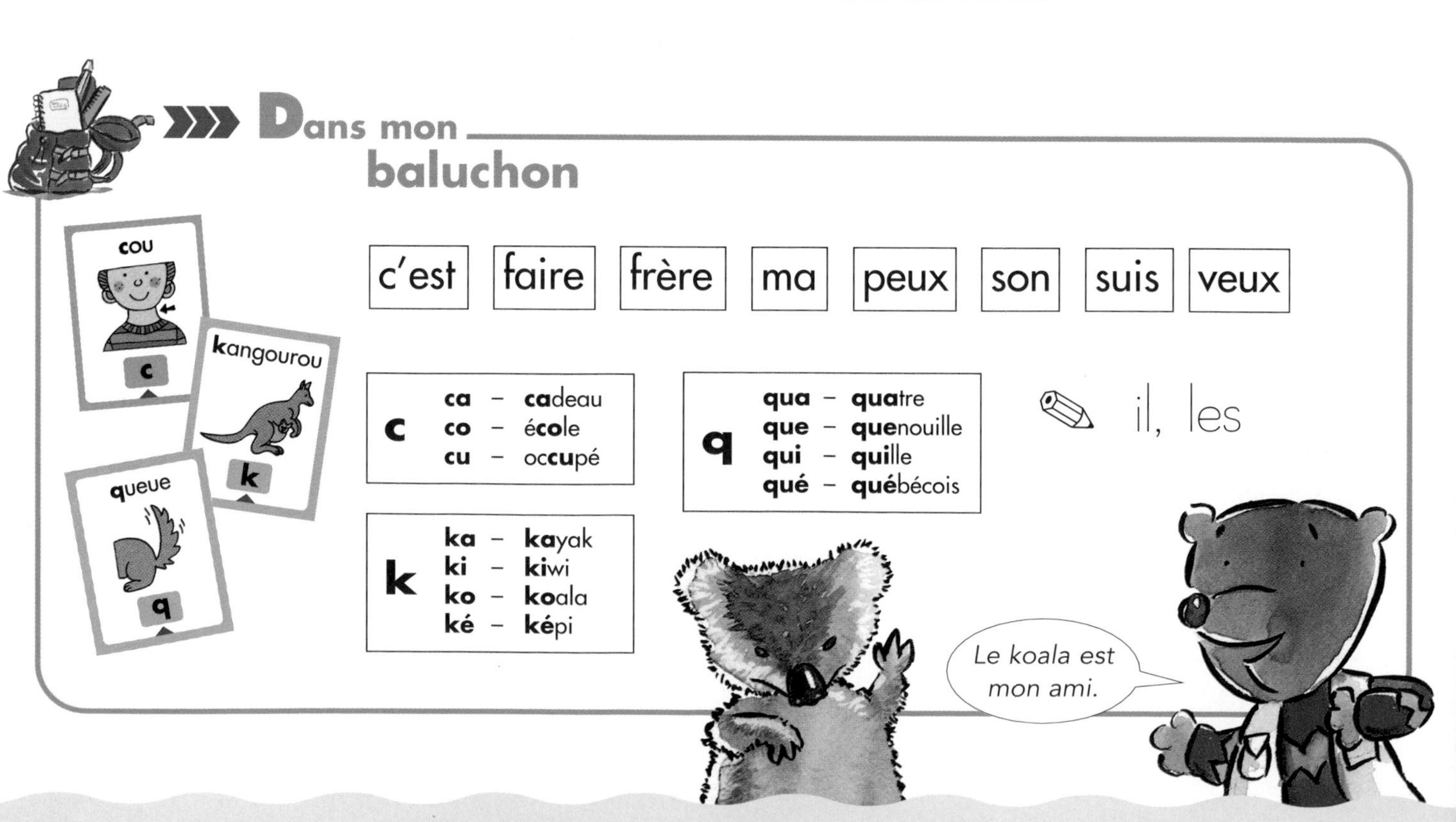

Dans mon baluchon

c'est | faire | frère | ma | peux | son | suis | veux

c
- **ca** – **ca**deau
- **co** – é**co**le
- **cu** – oc**cu**pé

q
- **qua** – **qua**tre
- **que** – **que**nouille
- **qui** – **qui**lle
- **qué** – **qué**bécois

k
- **ka** – **ka**yak
- **ki** – **ki**wi
- **ko** – **ko**ala
- **ké** – **ké**pi

✎ il, les

- Explique ce que tu as appris et aimé dans ce thème.

Ça fait peur

- Explique de quoi il est question dans ce texte.
- Trouve des textes que tu as déjà lus et qui ressemblent à celui-ci.

Lis pour apprendre une chanson d'Halloween et pour la chanter.
Ça t'amènera à expliquer ce que tu ressens à l'Halloween.

C'est l'heure des petites peurs !

Amusons-nous !
Costumons-nous !
C'est l'heure des petites peurs
Qui font notre bonheur !

1 On allume la citrouille.
On part vite en vadrouille !
Marche sur le trottoir,
Dans le noir du soir !

2 Sous un lampadaire,
Une grosse sorcière,
Verrues au menton,
Donne des frissons !

3 Là, au coin de la rue,
Pleure une petite tortue.
« Venez, j'ai bien peur,
Seule dans le noir ! »

4 Bonsoir, la compagnie !
On souffle la bougie !
Finies les petites peurs
Qui font notre bonheur !

Suzanne Blain

- Explique ce qui te plaît dans cette chanson.
- Décris les peurs et les joies que tu ressens à l'Halloween.

1. **Lis un des énoncés suivants à un ou à une camarade. Demande-lui de pointer sur l'illustration le personnage dont il est question.**

- ● J'ai un masque noir.
- ▲ Je suis sous la table.
- ▬ Mon nez est noir.
- ■ Je suis assis sur une citrouille.
- ★ J'ai un ballon dans les mains.
- ✚ J'ai un masque vert.

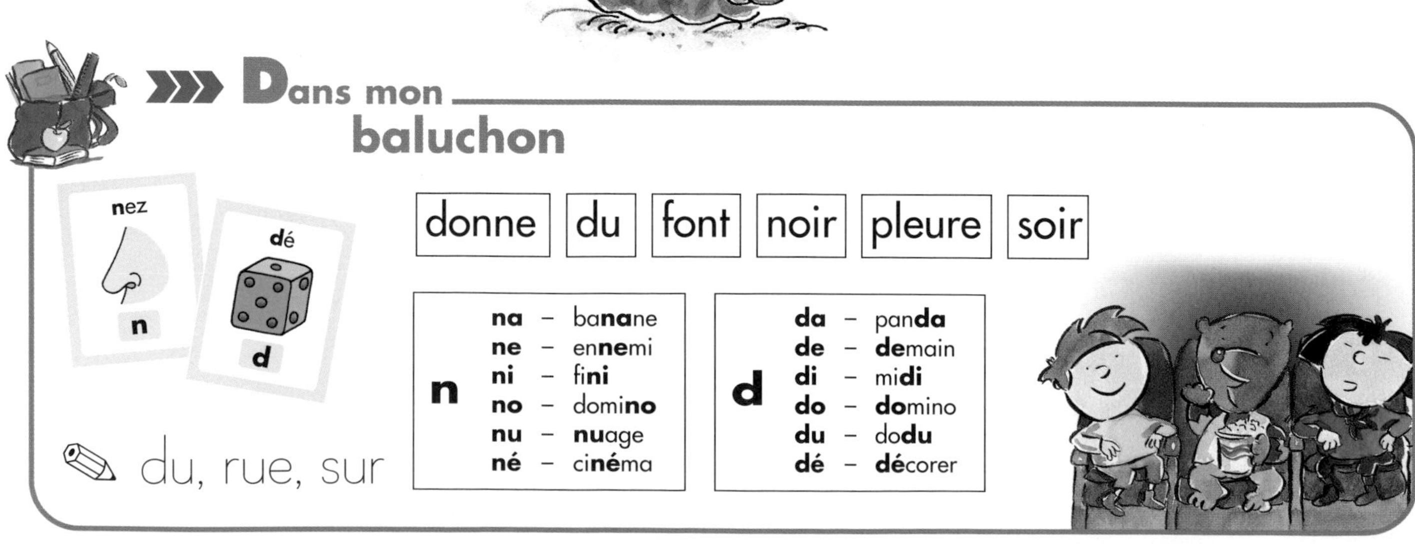

- Décris comment tu penses vivre l'Halloween cette année.

- Chante la chanson à nouveau.
- Nomme des déguisements et des lieux où tu pourrais passer l'Halloween.

Transforme un couplet de la chanson avec des camarades. Ça te donnera une nouvelle occasion de travailler en équipe.

Une nouvelle chanson

1. **Observez ce modèle. Quels mots du troisième couplet de la chanson ont été changés ?**

2. **Transformez le troisième couplet de la chanson à l'aide du modèle ci-dessus. Utilisez la fiche qu'on vous remet.**

3. **Relisez votre couplet. Vérifiez-le à partir des questions suivantes.**

- Parlez-vous d'un lieu et d'un déguisement ?
- Avez-vous respecté le code ?

Dans mon baluchon

Mon nez est rouge
~~Est mon rouge nez.~~

Dans une phrase bien construite, les mots sont en ordre.

- Récrivez votre couplet au propre.
- Expliquez ce que vous pensez de cette expérience de travail en équipe.

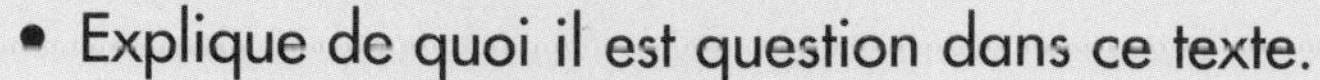

- Explique de quoi il est question dans ce texte.
- Trouve le nom de l'auteur et dis ce que tu sais de lui.

4•2

Lis pour découvrir l'histoire du petit chaperon orange et pour imaginer la suite. Ça t'amènera à réfléchir aux conduites sécuritaires à adopter à l'Halloween.

Le petit chaperon

Andréa est triste. Elle ne peut pas passer l'Halloween avec son ami Jean-Félix. Il a un gros rhume.

Sa mère réfléchit.

– J'ai une idée, mon petit chaperon orange.
On va lui préparer une surprise.
Tu iras lui porter ce soir.

Ensemble, elles mettent des pommes et des friandises dans une grosse citrouille en plastique. Andréa est heureuse.

– Ce n'est pas loin, mais sois très prudente.

– Oui, oui, ne t'en fais pas, maman.

Andréa se rend chez Jean-Félix. Il fait déjà noir. Elle a peur. Heureusement, Jean-Félix n'habite pas très loin. Un grand monsieur au visage de loup s'avance et lui adresse la parole.

– Mais où vas-tu comme ça, mon enfant?

(à suivre)

Robert Soulières

- Dis comment tu réagirais si tu étais à la place du petit chaperon.
- Imagine la suite de l'histoire.

1. Indique l'ordre des phrases pour rétablir l'histoire.

● Andréa met des pommes dans une grosse citrouille.

■ Andréa est triste.

▲ Un grand monsieur au visage de loup s'avance.

★ Il fait noir. Andréa a peur.

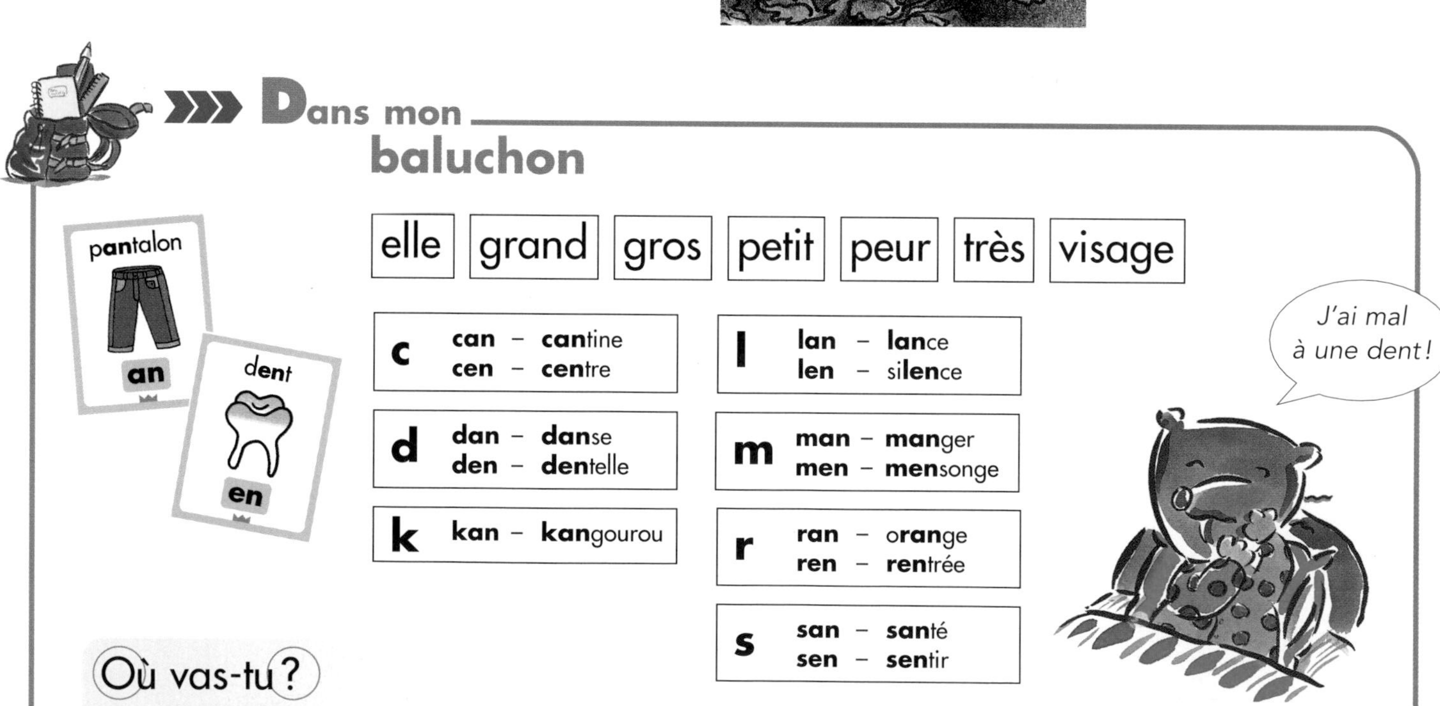

Dans mon baluchon

elle | grand | gros | petit | peur | très | visage

c	**can** – **can**tine **cen** – **cen**tre
d	**dan** – **dan**se **den** – **den**telle
k	**kan** – **kan**gourou
l	**lan** – **lan**ce **len** – si**len**ce
m	**man** – **man**ger **men** – **men**songe
r	**ran** – o**ran**ge **ren** – **ren**trée
s	**san** – **san**té **sen** – **sen**tir

Où vas-tu ?

Une **phrase** commence par une **majuscule** et se termine par un point, un **point d'interrogation** ou un point d'exclamation.

✎ de, elle, en

- Explique ce que tu sais des règles de sécurité à suivre à l'Halloween.
- Nomme d'autres contes sur l'Halloween.

- Rappelle-toi ce qui est arrivé à Andréa.
- Lis les mots que tu reconnais d'un seul coup d'œil.

Écoute la première partie du texte, puis lis la suite pour découvrir la fin de l'histoire du petit chaperon et pour la comparer à celle que la classe a imaginée.
Ça t'amènera à nouveau à réfléchir aux conduites sécuritaires à adopter à l'Halloween.

Le petit chaperon

(suite)

– Je vais porter des bonbons à mon ami Jean-Félix. Il est malade.
Mais comme vous avez de grandes dents !
– C'est pour manger plus de bonbons, mon enfant.
– Mais comme vous avez de grands yeux !
– C'est pour mieux voir le feu vert avant de traverser la rue, mon enfant.
– Mais comme votre bouche est grande...
– C'est pour mieux...
Mais Andréa est pressée.
– Je n'ai plus le temps de vous écouter,
coupe le petit chaperon. Je vais être en retard.
Et Andréa s'enfuit en courant.
L'homme au visage de loup ne la suit pas.
Heureusement !

Andréa aperçoit maintenant la maison de Jean-Félix.
Elle est contente et soulagée. Elle sonne.

Jean-Félix lui crie :

– Tire sur la poignée, Andréa... et la porte s'ouvrira.

Un grand courant d'air traverse la pièce. Jean-Félix frissonne.

– Pousse fort, Andréa, et la porte se refermera.

– Bonsoir, Jean-Félix, dit Andréa. Je t'ai apporté une citrouille pleine de surprises.

– C'est gentil, dit Jean-Félix. Je me sens déjà mieux. Mais tu as apporté beaucoup trop de bonbons. Je ne pourrai pas manger tout ça, tout seul.

Andréa lui fait un clin d'œil.

– C'est bien pour ça que je suis ici, dit-elle.

Robert Soulières

- Monte une saynète à partir de ce texte.
- Dis ce que tu penses de la fin de cette histoire.

1. **Voici la montagne du récit *Le petit chaperon.***

Que se passe-t-il au début de l'histoire? au milieu? à la fin?

Reconstitue l'histoire et communique-la oralement à l'aide des illustrations.

2. La plupart de ces mots contiennent le son **ou** ou **on**. Trouve l'intrus dans chaque groupe de mots.

● un salon	une orange	un melon
▲ le monde	un lion	une amande
▬ le mur	il roule	la souris

Dans mon baluchon

bouche  ne  pas  yeux

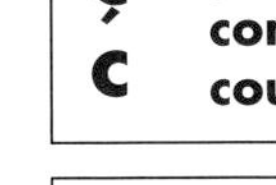

ç / c	**çon** – le**çon** **con** – flo**con** **cou** – é**cou**ter
d	**don** – par**don** **dou** – **dou**ce
l	**lon** – sa**lon** **lou** – **lou**pe
m	**mon** – **mon**tagne **mou** – **mou**ton
n	**non** – **non** **nou** – **nou**veau
r	**ron** – **ron**de **rou** – **rou**te
s	**son** – our**son** **sou** – **sou**rire

Comme vous avez de grands yeux!

Une **phrase** commence par une **majuscule** et se termine par un point, un point d'interrogation ou un **point d'exclamation**.

• Explique ce que tu as préféré dans ce thème.

Faisons le point ensemble

Dans mon baluchon

Je veux lire avec mes amis.

Voici les mots des étiquettes vues jusqu'à présent.
Avec tes camarades de classe, invente des façons de les revoir.

Alizé
ami
après-midi
avant-midi
avec
Azimut
Azur
ballon
bleu
bouche
bouge
bras
c'est
chante
chien
colle
colorie
crayon
dans
de
découpe

des
dessine
donne
du
école
écris
elle
est
et
faire
font
frère
grand
gros
il
j'ai
j'aime
jaune
je/j'
je n'aime pas
la/l'

le/l'
les
lis
livre
ma
main
maman
matin
mets
mon
ne
nez
noir
orange
papa
pas
petit
peur
peux
pleure
pour

rouge
sa
soir
son
sous
suis
sur
ta
tes
tête
ton
très
un
une
vert
veux
visage
yeux
Zénith
Zéphyr

Que penses-tu de ta façon de lire ces mots ? Choisis le visage qui correspond à ta réponse et explique-toi.

Ton projet

Raconte l'histoire de ta vie

Quelle est ton histoire ? Comment pourrais-tu la présenter ? Sers-toi du texte suivant pour t'aider à la raconter.

- Quelle est la ville et quel est le pays de ta naissance ? À quel âge as-tu fait tes premiers pas ? dit tes premiers mots ?
- Quels moyens peux-tu utiliser pour trouver l'information dont tu auras besoin ?

Présente ta production et évalue-la avec ta classe.

• Décris ce que tu reconnais dans ce texte.

Lis pour choisir des questions que tu aimerais poser à tes parents et pour présenter les réponses de ton choix à la classe. Ça t'aidera à mieux te connaître.

5•1

Mon histoire

Avant ma naissance

1. Est-ce que je bougeais beaucoup ?
2. Est-ce que j'étais un gros bébé ?
3. Quels prénoms pensais-tu me donner ?

À ma naissance

4. Où suis-je né ?
5. À quel moment de la journée ?
6. Comment étaient mes cheveux ?
7. Qu'est-ce que j'ai fait en premier ?

1

2

Mes premières années

8. Est-ce que j'étais un bébé calme ou agité ? souvent malade ? affamé ?
9. Quels étaient mes jouets préférés ? mes cachettes dans la maison ?

Ces dernières années

10. Avec qui j'aimais jouer ?
11. Quels souvenirs de moi penses-tu garder longtemps ?

2

3

4

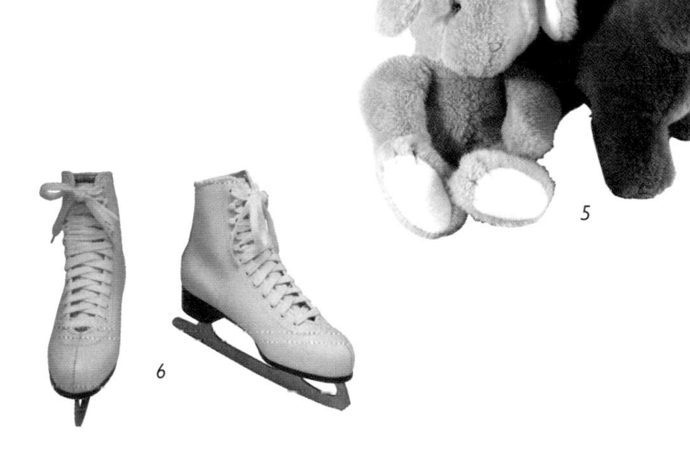

5

6

1

7

- Explique comment sont groupées les questions du texte.
- Dis ce qui t'a paru étonnant dans les réponses de tes parents.

1. **Dis à quel âge Tania a fait les actions décrites. Aide-toi de la ligne du temps.**

a) Je dessine une maison sur du papier.

b) J'ai des dents.

c) Je fais une caresse à mon papa.

d) J'aime jouer avec mon premier ourson.

e) Je colorie des visages souriants.

Dans mon baluchon

• Explique en quoi ce texte t'aide à réaliser ton projet.

- Dis comment s'appellent les personnes qui écrivent des textes ou des livres.
- Explique ce que tu sais de leur travail.

Lis pour connaître une écrivaine célèbre. Ça t'aidera à comprendre comment on gagne à s'engager dans un projet qui tient à cœur.

Sophie Rostopchine, comtesse de Ségur

Sophie Rostopchine est née en Russie, il y a bien longtemps.
Plus tard, elle a vécu en France et a épousé le comte Eugène de Ségur.
Ils ont eu huit enfants et vingt petits-enfants. La comtesse de Ségur adorait inventer des histoires pour ses petits-enfants.
Elle a écrit son premier roman à l'âge de cinquante-cinq ans.

La comtesse de Ségur a écrit vingt-cinq livres.
Connais-tu *Les petites filles modèles*, *Les malheurs de Sophie* ou *François le bossu*?

Carmen Marois

- Dis ce que tu as appris sur la comtesse de Ségur. Utilise la fiche qu'on te remet.
- Invente une aventure que tu aimerais écrire dans un livre et communique-la oralement à la classe.

1. **Six petits-enfants de la comtesse de Ségur sont présentés sur l'illustration. Lis les phrases et identifie chaque enfant.**

a) (Madeleine) Elle est la plus grande.

b) (Camille) Elle a une robe jaune.

c) (Sophie) Elle est plus petite que Madeleine.

d) (Louis) Il a huit ans. Il est avec Sophie.

e) (Paul) Il a des lunettes.

f) (Armand) Il est plus grand que Louis.

- Explique ce que tu peux faire aujourd'hui pour réaliser un de tes rêves.
- Repère le nom des auteurs de différents livres et textes.

- As-tu déjà vu des animaux qui venaient de naître ? Raconte.
- Que sais-tu des animaux suivants ?

Des animaux et leurs petits

1. Comment se sont développés ces petits ? Décris ce que ces photos t'apprennent sur les petits et leurs parents.

1 merle et merleaux

2 biche et faon

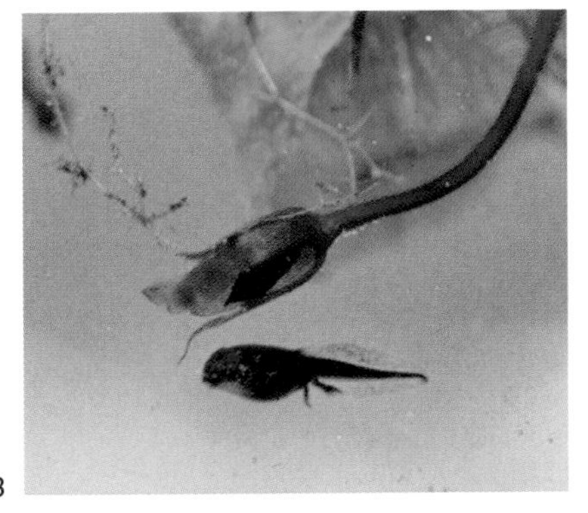
3 têtards

4 brebis et agneau

5 girafe et girafeau

6 chien de prairie et son petit

7 salamandre

8 pingouin et son petit

9 fou masqué et ses petits

- Note ce que tu observes sur la fiche qu'on te remet.
- Quelle est l'utilité des photos pour apprendre de nouvelles choses ?

• Note ce que tu sais déjà sur les petits des animaux.
Utilise la fiche qu'on te remet.

Lis pour découvrir à quoi ressemblent les petits des animaux à leur naissance. Ensuite, tu diras ce que tu as appris sur les animaux de ton environnement.

À quoi ressemblent les petits des animaux ?

Des animaux qui ressemblent à leurs parents

Beaucoup d'animaux se forment dans le ventre de leur mère. C'est le cas des chatons, des veaux et des baleineaux.

1

2

D'autres se développent dans un œuf pondu par la mère. C'est le cas des oisillons, des tortues et des lézards. À leur naissance, ils sont comme leurs parents, mais plus petits.

3

Des animaux qui ne ressemblent pas à leurs parents

Certains animaux sortent de l'œuf pondu par la mère.
Ils se transforment ensuite. C'est le cas du papillon.
Une chenille sort de l'œuf, grandit
et s'enferme dans un cocon.
À l'intérieur de son cocon,
la chenille se transforme en papillon.
Un jour, le cocon se brise et hop !
un beau papillon s'envole.

Kristine Chainé

1 2 3

- Dis ce que tu as appris dans ce texte. Utilise ta fiche.

1. **Reconstitue les noms d'animaux à partir des groupes de syllabes suivants.**

a) tor
tue

b) ca
nard

c) nard
re

d) ris
sou

e) mou
ton

f) di
cro
le
co

g) a
la
ko

h) on
li

2. **Amuse-toi à créer de nouveaux animaux en jumelant des syllabes au hasard. Dessine ce qu'ils auraient l'air.**

Exemple : mouris

Comment développer l'esprit scientifique de votre enfant ?

Voici quelques idées :

- *Cherchez ensemble des réponses à ses questions dans des livres à caractère scientifique.*
- *Confiez-lui la responsabilité d'un animal domestique ou d'une plante.*
- *Décrivez-lui votre façon de procéder lorsque vous cuisinez, effectuez une réparation ou rempotez une plante.*

Dans mon baluchon

beau | certains | œuf | ventre

t

ta	**ta**ble
te	**te**
ti	pe**ti**te
to	**to**mate
tu	**tu**
té	é**té**
tê	**tê**te
tan	**tan**te
ton	**ton**
tou	**tou**tou

✎ dans, ta, te, tes, ton, tu

- Explique ce que tu as aimé faire dans cette excursion.
- Dis en quoi tu ressembles à tes parents.

- Pense à ton animal préféré.
- Dis ce que tu sais sur cet animal.

Remplis une fiche descriptive pour présenter ton animal préféré à la classe. Ça te permettra de voir les différents goûts de tes camarades.

Mon animal préféré

1. Observe le modèle qui suit. Cherche les renseignements dont tu as besoin pour décrire ton animal.

Mon animal préféré

L'animal : le panda

Le pays d'où il vient : Chine

Son développement : dans le ventre de sa mère

Il ressemble à ses parents.

2. Rédige ta fiche descriptive à l'aide du modèle ci-dessus. Utilise la fiche qu'on te remet.

3. Relis ton texte. Vérifie-le à partir des questions suivantes.

- As-tu présenté ton animal préféré ?
- As-tu respecté le code ?

Dans mon baluchon

STRATÉGIE

Pour retenir l'orthographe d'un mot :

1. Je le regarde et je le photographie.
2. Je le cache.
3. Je le dis dans ma tête et j'essaie de le voir.
4. Je cherche les difficultés que je perçois dans ce mot.
5. Je l'écris de mémoire.
6. Je le vérifie.

- Écris ton texte au propre et illustre-le.
- Dis ce que tu as aimé faire dans cette situation d'écriture.

Ça grandit

- Dis de quel type de texte il s'agit.
- Explique de quoi il est question dans ce texte.

Lis pour découvrir comment la classe s'agrandit et pour indiquer ce que tu trouves le plus amusant.

6•1

La classe s'agrandit

Pierrette Dubé

- Dis ce qui t'amuse dans cette histoire.
- Classe les animaux de cette histoire. Utilise la fiche qu'on te remet.

1. **Quels personnages parlent ? Lesquels pensent ?**
Imagine le contenu de chaque bulle.

Dans mon baluchon

boîte	cinq	classe	deux	oiseau	quatre	trois

b	**ba**	ca**ba**ne
	be	tu**be**
	bi	**bi**don
	bo	**bo**bine
	bu	**bu**
	bé	**bébé**
	bê	**bê**te
	ban	ru**ban**
	bon	**bonbon**
	bou	**bou**che

p	**pa**	**papa**
	pe	**pe**tit
	pi	**pi**lule
	po	**po**lice
	pu	**pu**blic
	pé	**pé**riode
	pè	**pè**re
	pan	**pan**talon
	pon	ré**pon**se
	pou	**pou**pée

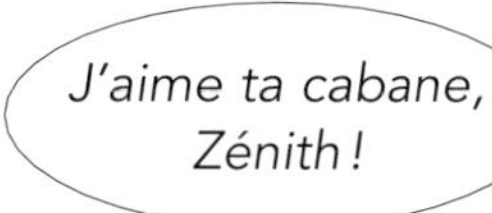

STRATÉGIE

Je lis une bande dessinée de gauche à droite, de haut en bas.

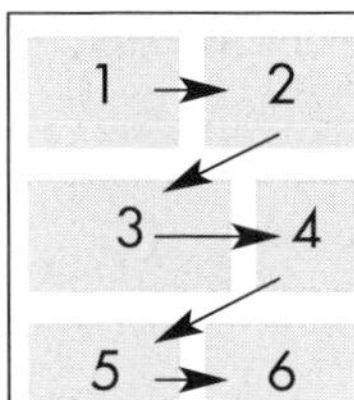
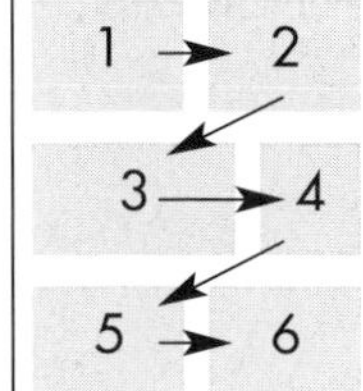

 ami, amie

- Explique ce que tu as appris et aimé dans cette excursion.
- Raconte une situation amusante que tu as vécue à l'école depuis la maternelle.

- Lis le titre et explique comment un haricot peut être magique.
- Dis ce que tu connais déjà de cette histoire.

Écoute la première partie du texte pour connaître Jacques. Ensuite, imagine ce qu'il fera. Ça t'amènera à donner ton opinion sur ses projets.

Jacques et le haricot magique

Jacques et sa mère vivent sur une petite ferme. Ils sont très pauvres.

Un jour, leur vieille vache cesse de donner du lait. Ils décident alors de la vendre. Jacques se rend donc au marché. Il y échange sa vache contre... cinq graines de haricot magique ! Sa maman, très déçue, le dispute en pleurant. La voyant ainsi, Jacques jette les graines par la fenêtre et se met à pleurer lui aussi.

Durant la nuit, un haricot se met à pousser. Il grandit, grandit, grandit tellement que bientôt, il touche les nuages ! Au matin, Jacques aperçoit la plante gigantesque. Curieux, il grimpe de branche en branche. Arrivé au sommet, il découvre un château.

Dans ce château habite un géant. Jacques aperçoit le géant qui tient une bourse pleine de pièces d'or. « Sniff, sniff ! Je sens une odeur de petit garçon, dit le géant. Je vais le croquer comme un bonbon. » Le géant cherche le garçon, mais ne le trouve pas. Fatigué, il tombe endormi sur un banc. Jacques en profite pour prendre la bourse d'or du géant, puis il se sauve.

Lorsqu'il arrive en bas du haricot, Jacques crie à sa mère : « Maman, nous sommes riches ! » Et ils vivent des jours heureux grâce à l'or du géant.

Mais quand la bourse est vide, Jacques retourne au château. Il voit le géant qui parle à une poule : « Ponds un œuf d'or. » Et la poule pond un œuf d'or ! Puis le géant flatte sa poule, ferme les yeux et s'assoupit. Aussitôt, Jacques se jette sur l'animal et l'emporte. Il s'en revient comme il était venu. Jacques et sa mère n'ont plus de soucis, car la poule pond un œuf d'or tous les jours.

- Invente une suite à ce début d'histoire et communique-la oralement à la classe.

6•2

Lis la deuxième partie du texte pour découvrir ce qui arrive à Jacques et pour indiquer ce qui te plaît dans cette histoire. Tu compareras cette suite à celle que tu avais imaginée.

Plusieurs mois passent. Jacques retourne au château et aperçoit cette fois une harpe d'or. « Sniff, sniff ! Je sens une odeur de petit garçon, dit le géant. Je vais le croquer comme un bonbon. »

Jacques se cache derrière une boîte. Le géant cherche, mais ne le trouve pas. Fatigué, il s'endort.

Jacques saisit alors la harpe. Mais en se sauvant, il la cogne contre la porte. Le géant se réveille. Fâché, il s'élance aussitôt pour attraper Jacques. Tous les deux glissent le long de la tige.

Jacques arrive en bas le premier et crie à sa mère : « Maman ! Apporte-moi une hache ! » Et crac ! Le haricot se casse. Le géant tombe et s'écrabouille la tête !

Depuis ce temps, Jacques et sa mère vivent heureux.

Adaptation d'un conte classique

- Dis ce que tu penses de Jacques et du conte. Utilise la fiche qu'on te remet.
- Compare la fin de cette histoire à celle que tu as imaginée.

1. **Lis chaque phrase et précise si elle est vraie ou fausse.**

a) Jacques est heureux avec son père.

b) Le haricot est magique.

c) Le haricot est grand.

d) Le géant est petit.

e) « Je vais jouer avec Jacques », dit le géant.

f) La poule pond plusieurs œufs d'or.

g) Le géant est l'ami de la mère.

Les contes classiques

Il est bon de lire aux enfants des contes classiques comme Jacques et le haricot magique *ou* Les trois petits cochons. *Dans ces contes, les petits arrivent souvent à vaincre des géants. Cela aide les enfants à développer leur confiance en eux-mêmes.*

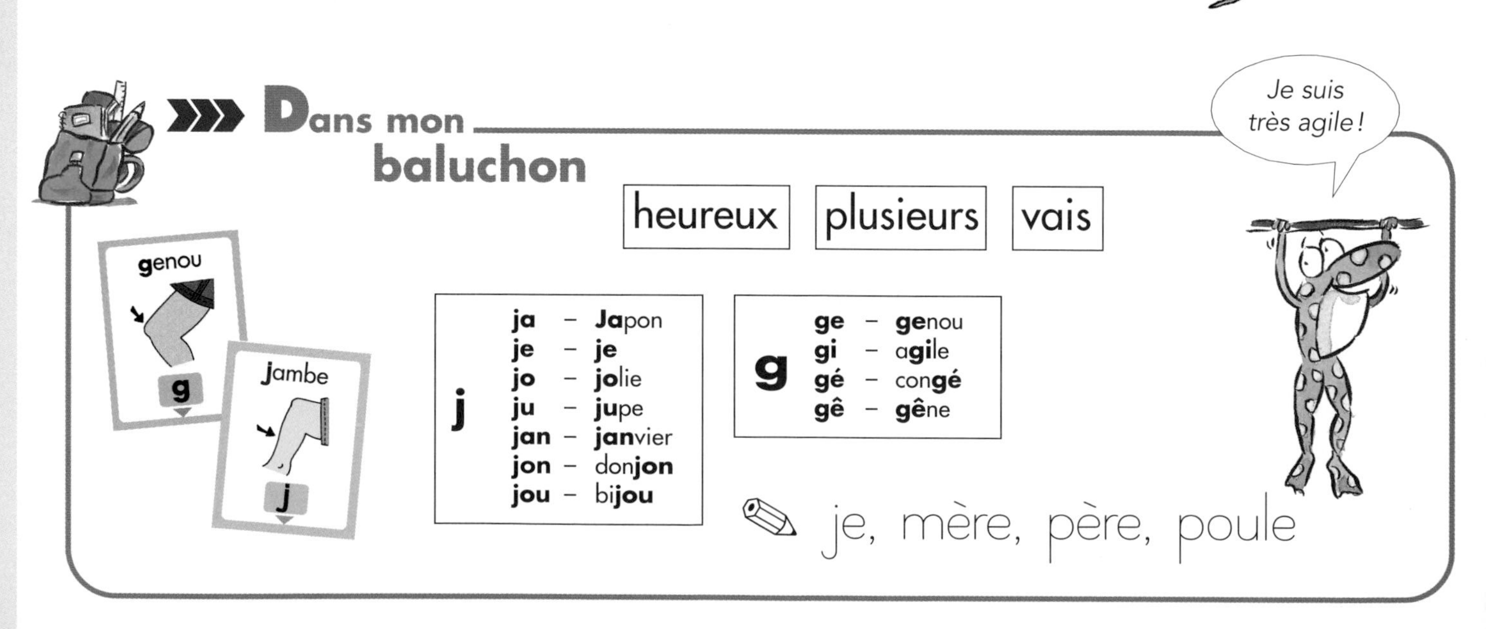

- Explique ce que tu as appris et aimé dans cette excursion.
- Discute avec ta classe des contes où il est question de géants.

- Dis ce que tu penses de ta grandeur.
- Fabrique une bande pour la représenter.

Rédige deux phrases pour décrire ta grandeur.
Ça te permettra de mieux te faire connaître.

6•3

Quelle est ta grandeur ?

1. Observe ce modèle.

Je mesure plus qu'un mètre.
Je suis la plus petite de la famille.
Sang

2. Rédige ton texte à l'aide du modèle ci-dessus. Utilise la fiche qu'on te remet.

3. Relis ton texte. Vérifie-le à partir des questions suivantes.

- As-tu parlé de ta grandeur ?
- As-tu respecté le code ?

- Récris ton texte au propre et affiche-le avec ta bande dans la classe.
- Demande l'avis de tes camarades sur ce que tu as fait.

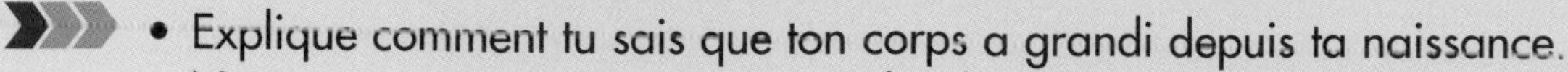

- Explique comment tu sais que ton corps a grandi depuis ta naissance.
- Note ce que tu sais sur ce sujet. Utilise la fiche qu'on te remet.

Lis pour découvrir comment ton corps grandit et pour vérifier tes connaissances sur ce sujet. Ça t'aidera à mieux connaître un aspect de toi-même.

Ton corps grandit-il ?

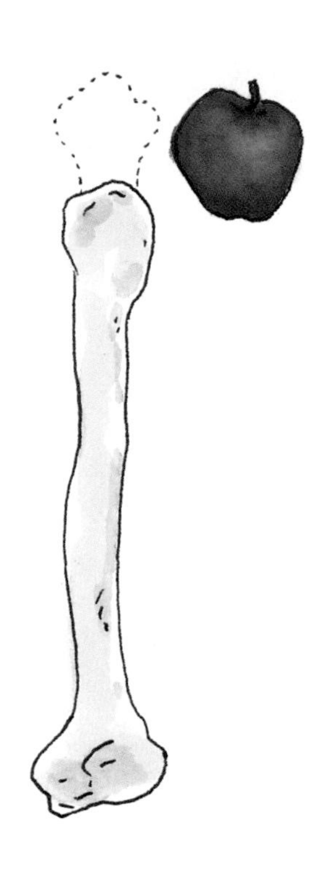

Ton squelette a commencé à grandir avant ta naissance. Après la naissance, tes os grandissent encore.

Durant l'enfance

Entre l'âge de sept et onze ans, tu grandis de cinq à six centimètres par an. C'est environ la hauteur d'une pomme.

À l'adolescence

Ton corps va continuer à grandir jusqu'à l'âge de dix-neuf ans environ.

Durant la vieillesse

Ton corps va rapetisser. C'est à cause des petits coussins qui séparent les os de ta colonne vertébrale. Ces coussins s'appellent des disques. Avec le temps, ils s'usent. Les os se rapprochent les uns des autres. Alors, la colonne vertébrale rétrécit.

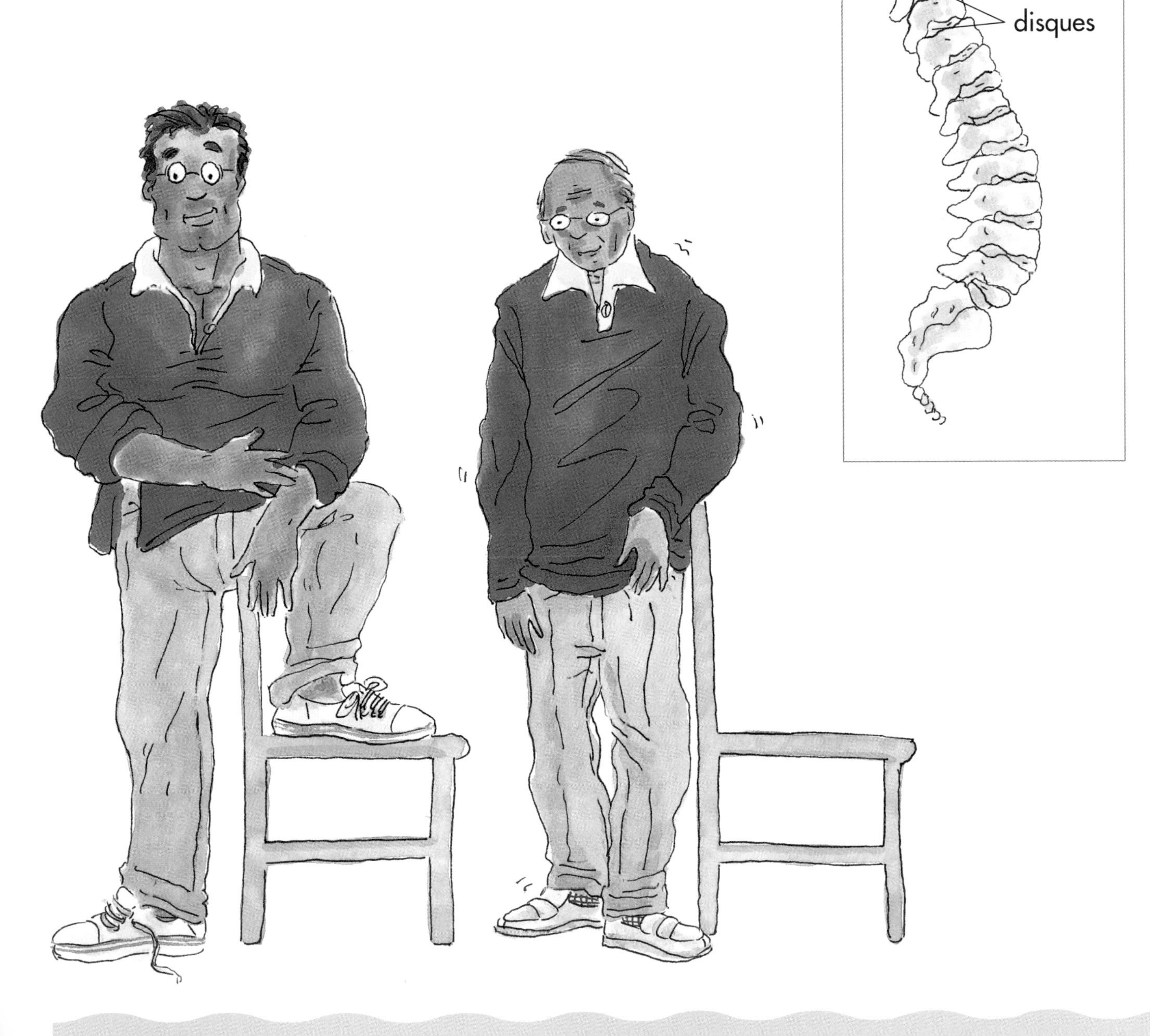

- Note ce que tu as appris sur ta fiche.
- Repère les mots qui nomment les étapes de la vie.

6•3

1. Lis cette comptine à voix haute. Invente avec ta classe une façon de l'utiliser.

Un nez
Deux nez
Trois nez
Quatre nez
Cinq nez
Six nez
Sept nez
Huit nez
Neuf nez
Dix nez (dîner)

Georges Jean, *Le premier livre d'or des poètes*,
© Seghers, Paris, 1975, p. 111.

2. Ordonne les membres de cette famille du plus jeune au plus vieux. Associe-les aux étapes de la vie correspondantes.

Petite enfance
Enfance
Adolescence
Vie adulte
Vieillesse

A 

B C 

D 

E 

Dans mon baluchon

g

ga	**ga**re
go	**go**rille
gan	**gan**se
gon	**gon**dole
gui	**gui**de
gou	ca**gou**le
gué	**gué**rison
guê	**guê**pe

dix | neuf | sept | six

bon, bonbon,
bonne, école,
pomme

- Explique ce que tu as appris et aimé dans ce thème.
- Dis ce que tu penses de tes progrès en lecture.

Ton projet

Décore ta classe !

Que pourrais-tu faire pour donner un air de fête à ta classe ? Sers-toi du texte suivant pour t'inspirer !

- Quelles décorations pourrais-tu installer ? des ballons ? des banderoles ? des dessins ? ou autres ?
- Quel matériel utiliseras-tu ?

Présente ta production et évalue-la avec ta classe.

- Dis ce que tu feras avec ce texte.
- Compare ce texte à celui de la page 30, *Le serpent*, et explique les différences.

Lis pour savoir comment faire un bricolage à partir d'un modèle. Puis, fabrique une maison du village du mois de décembre avec ta classe. Ça te donnera l'occasion de partager des façons de faire avec tes camarades.

7•1

Le village du mois de décembre

1. J'observe le modèle.

- Quelle est la forme de chaque maison?
- Où est placée la cheminée? la porte? la fenêtre?
- Comment la porte est-elle faite? Qu'est-ce qu'il y a derrière?
- Comment faire pour montrer qu'il y a de la neige sur les maisons?
- Comment les maisons sont-elles décorées?

2. Je dessine ce que je veux bricoler.

- Quelle est la forme de ma maison? de son toit?
- Quelle est la couleur de ma maison?
- Où est-ce que je vais placer la porte et la fenêtre?
- Qu'est-ce que je vais ajouter comme décoration?

3. Je rassemble le matériel dont j'ai besoin.

- Quel matériel me faut-il pour fabriquer ma maison ?
- Quels objets me faut-il pour la décorer ?

4. Je prévois les étapes du bricolage.

- Qu'est-ce que je dois faire en premier ?
- Qu'est-ce que je dois faire ensuite ?
- Qu'est-ce que je dois faire en dernier ?

- Construis le village de ta classe avec tes camarades.
- Explique en quoi ce village peut t'être utile.

1. **Lis cette comptine avec des camarades.**
Discutez de ce que vous pourriez faire avec ce texte.

7 • I

Le calendrier de l'avent

Derrière la fenêtre,
Il y a peut-être
Une bougie, un sapin,
Un tambour, une pomme de pin,
Ou un père Noël ?

Derrière la fenêtre,
Il y a peut-être
Un oiseau, un sabot,
Une cheminée, un angelot,
Pas de père Noël !

Derrière la fenêtre,
Il y a peut-être
Une étoile, un lutin,
Une boule, un tambourin,
Et un père Noël !

Corinne Albaut, in *Comptines pour le temps de Noël*, © Actes Sud Junior, 1995, p. 18.

2. **En équipe, complétez oralement les phrases ci-dessous en pensant à chacun des lieux illustrés.**

a) Derrière la fenêtre,
il y a...

b) Devant la cheminée,
il y a...

c) Près de la porte,
il y a...

Dans une maison du futur

Dans l'atelier du père Noël

Dans un château

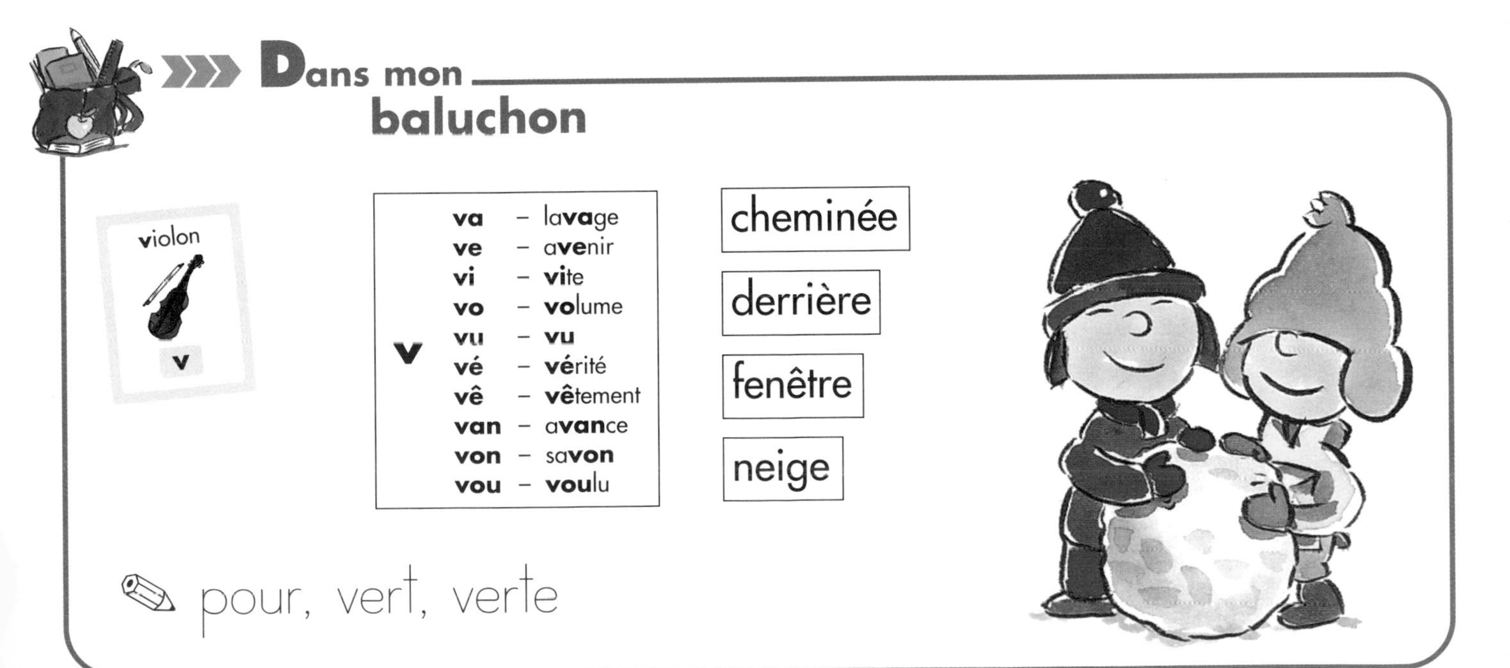

• Explique ce que tu ferais autrement si tu avais à refaire le village du mois de décembre.

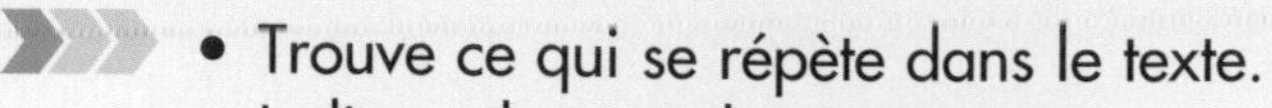

- Trouve ce qui se répète dans le texte.
- Indique de quoi il est question.

Lis les devinettes avec des camarades et trouve les réponses dans l'illustration. Ça te donnera l'occasion de vivre une expérience d'équipe.

7•2

Devine ce que c'est...

A. Ses bras sont chargés d'aiguilles
Vertes en été, blanches en hiver.
Au soir de Noël, il brille. Devine ce que c'est…

B. À gauche ou à droite
Vont par-devant, vont par-derrière
Glissant comme l'air. Devine ce que c'est…

C. Il part de haut
Pour aller en bas.
Tiens-toi bien comme il faut ! Devine ce que c'est…

D. L'enfant l'aime pour jouer
L'adulte pour déneiger.
On ne peut pas s'en passer. Devine ce que c'est…

Kristine Chainé

- Trouve les réponses à ces devinettes.
- Explique ce qui a aidé ton équipe à trouver les réponses.

1. a) **Avec ta classe, lis les nouvelles devinettes et trouve les réponses dans l'illustration du texte.**
b) **Indique les phrases où il y a les mots ne... pas.**

a) En été comme en hiver, il ne sort pas sans son manteau.
■ Sur sa tête et sur son corps, il ne porte rien.
■ Mon copain est toujours au chaud.

Devine ce que c'est...

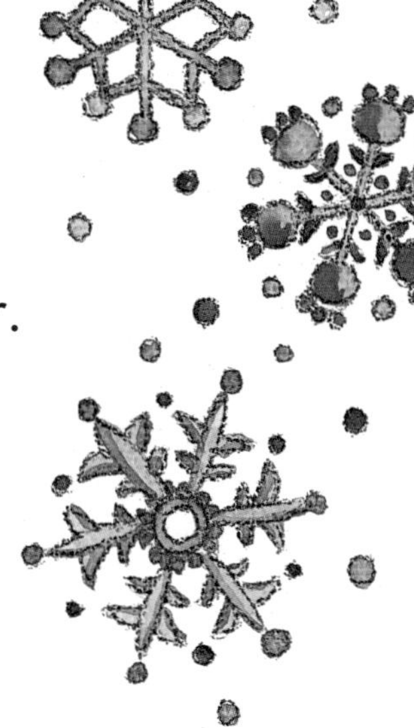

b) Elles marchent, mais n'ont pas de pieds.
■ Comme des jumelles, on ne peut pas les séparer.
■ Elles ont la couleur d'un champ printanier.

Devine ce que c'est...

2. **Explique pourquoi on met n'... pas à la place de ne... pas.**

Dans mon baluchon

bien	chaud	droite	gauche	Noël	pied

c **cin** – **cin**tre	**d** **din** – **din**de	**l** **lin** – câ**lin**	**m** **min** – che**min**
q **quin** – re**quin**	**p** **pin** – sa**pin**	**r** **rin** – ma**rin**	
s **sin** – **sin**ge	**t** **tin** – lu**tin**	**v** **vin** – **vin**gt	

Joyeux Noël !

Je ne veux pas de robot.

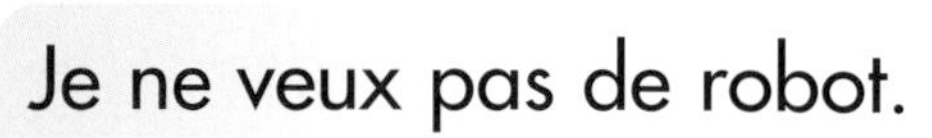

Une phrase qui contient les mots **ne... pas** est une **phrase négative**.

- Invente de nouvelles devinettes à trouver dans l'illustration.
- Discute des avantages à travailler en équipe.

- Rappelle-toi les cartes de souhaits que toi ou ta famille avez déjà reçues.
- Pense à des personnes à qui tu pourrais envoyer des souhaits.

Compose des souhaits afin de les envoyer aux personnes que tu aimes. Ça t'amènera à partager tes sentiments à l'occasion du temps des fêtes et à utiliser l'ordinateur.

Des souhaits pour Noël

1. Observe les modèles suivants. À qui pourrait être destinée chacune de ces cartes ?

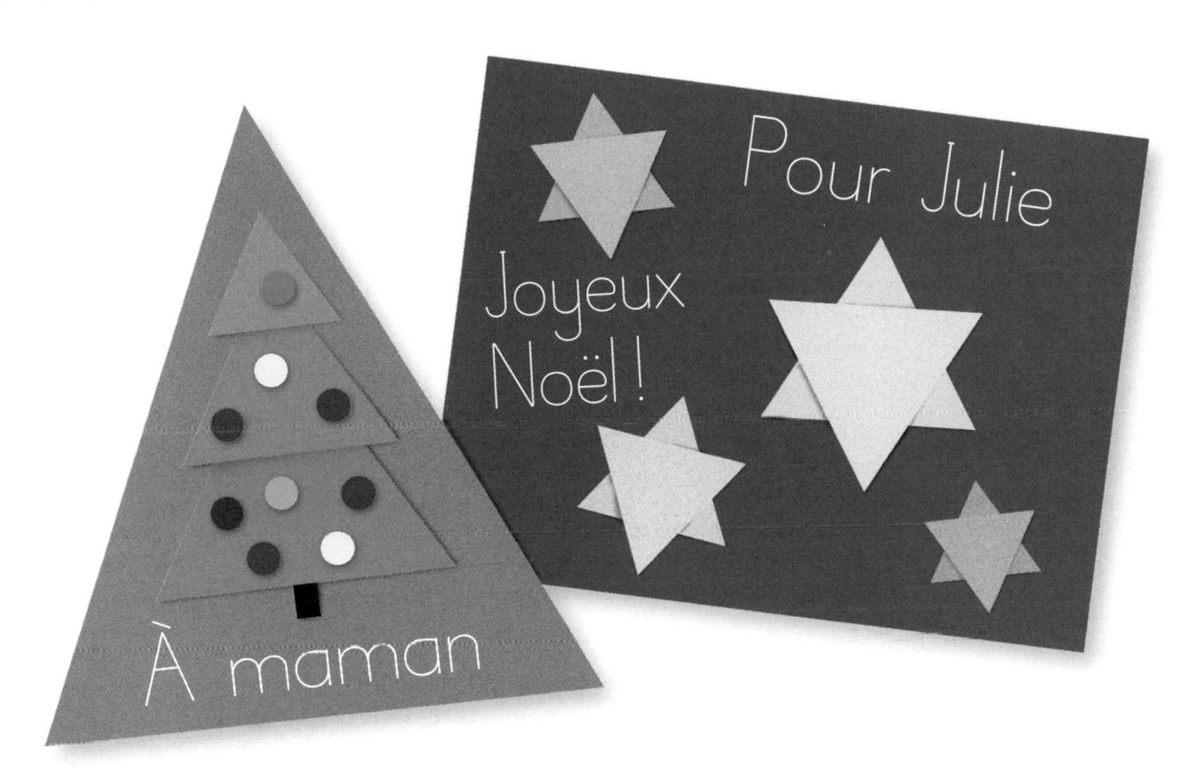

2. Écris tes souhaits en faisant preuve d'originalité. Utilise la fiche qu'on te remet.

3. Relis tes souhaits. Vérifie-les à partir des questions suivantes.

- As-tu fait preuve d'originalité ?
- As-tu respecté le code ?

- Écris tes souhaits à l'ordinateur et décore-les.
- Dis ce que tu as aimé faire dans cette situation d'écriture.

- Nomme les personnages de ce texte. Dis ce qu'ils font.
- Trouve le nom de l'auteur.

Écoute la première moitié du texte, puis lis la suite pour découvrir la fin de l'aventure du père Noël. Ensuite, explique ce que tu aurais fait à la place des enfants.

7•3

La course du père Noël

Ho ! Ho ! j'ai toujours plus d'un tour dans mon sac ! Ce n'est pas parce que mes rennes ont tous attrapé une forte fièvre que je vais retarder mon départ. Je pars cette nuit !

– Comment feras-tu ta tournée s'il n'y a personne pour te conduire ? demande la mère Noël.

– Ho ! Ho ! facile ! J'irai en formule 1 !

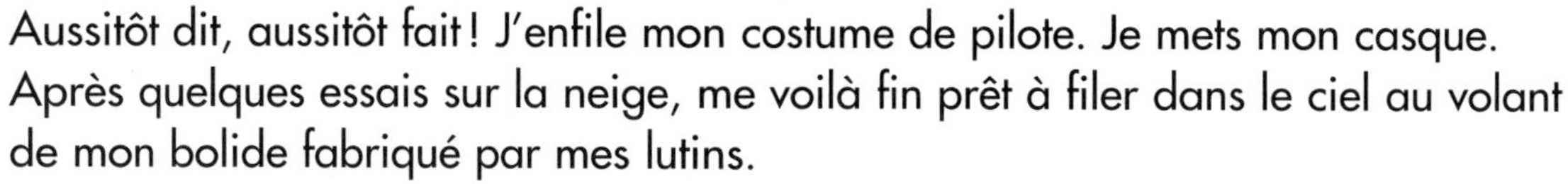

Aussitôt dit, aussitôt fait ! J'enfile mon costume de pilote. Je mets mon casque. Après quelques essais sur la neige, me voilà fin prêt à filer dans le ciel au volant de mon bolide fabriqué par mes lutins.

Et c'est parti ! Les ronflements du moteur font vibrer mon gros ventre. Je suis si fier ! Cette voiture est encore plus rapide que mon traîneau ! Les cadeaux pourront être livrés sous les sapins du monde entier comme prévu…

Tiens ! J'aperçois les maisons de Frédéric, de Raphaël et de Sophia !
Il faut freiner !

Hé ! on ne veut pas me laisser entrer ! Les enfants ne me reconnaissent pas.
Ils ont bloqué toutes les cheminées !

C'est la nuit. Il fait très froid. Je ne peux pas continuer comme ça ! Plus vite qu'un phoque dans l'eau, je fonce à toute vitesse chez un vétérinaire.

– Vite ! Un remède pour mes rennes, s'il vous plaît !

Les rennes avalent leur médicament. Ils reprennent des forces.
J'enlève mon costume de pilote. Attention les enfants,
le vrai père Noël arrive !

Martin Traversy

- Explique ce qui est arrivé dans cette histoire. Utilise la fiche qu'on te remet.
- Imagine comment tu aurais réagi à la place des enfants.

1. **Lis les désirs de chaque enfant. Indique l'illustration qui correspond à chaque désir.**

2. Lis les réflexions des enfants. Quelle est la différence entre les deux premières phrases et les trois autres ?

Dans mon baluchon

apercois | chez | froid | nuit

foulard — f

phoque — ph

f

fa	–	**fa**çon
fe	–	gira**fe**
fi	–	**fi**nir
fo	–	**fo**lie
fu	–	**fu**sée
fé	–	ca**fé**
fê	–	**fê**te
fan	–	**fan**tôme
fin	–	**fin**
fon	–	**fon**dre
fou	–	**fou**le

ph

pha	–	**pha**re
phe	–	paragra**phe**
pho	–	**pho**que
phan	–	élé**phan**t

ma, me, mes, mon

- Explique en quoi cette excursion t'est utile.
- Nomme d'autres contes de Noël que tu connais.

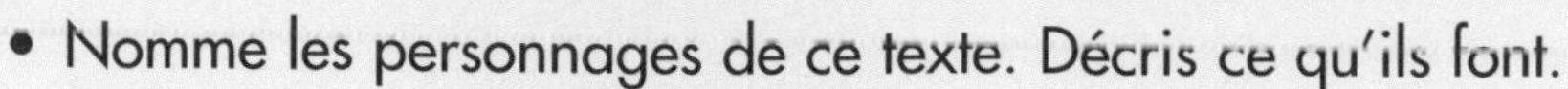

- Nomme les personnages de ce texte. Décris ce qu'ils font.
- Lis les mots que tu reconnais d'un seul coup d'œil.

Lis pour savoir ce que font les personnages et pour créer un bonhomme de neige étonnant. Ça te donnera l'occasion d'utiliser ton imagination.

Que se passe-t-il dans la forêt ?

Cette année, Azur, Zénith et Zéphyr ont décidé qu'ils voulaient voir l'hiver.

– Finis les dodos et les pays chauds.
  Vive la neige et les matins sous zéro !

Soudain, un monstre blanc fonce vers eux.

– Sauve qui peut !

Azur plonge dans un tas de neige.
Zénith s'envole au sommet d'un arbre.
Zéphyr s'étale de tout son long
en voulant s'enfuir.

Azimut et Alizé, cachés derrière un arbre, éclatent de rire.

– Pas de panique, voyons !
Ce n'est qu'une grosse boule de neige.
Une boule qui deviendra... Zorro, le père Noël
ou un grand magicien ! Vous nous aidez à faire
un bonhomme ?

En riant et en chantant, les amis font
un gros, un énorme, un gigantesque
bonhomme de neige.

Vive l'hiver !

Michèle Marineau

- Explique ce qui te semble étonnant dans ce texte.
- Fabrique un bonhomme de neige étonnant avec des matériaux de ton choix.

»»

1. Où pourrais-tu mettre les mots **ne... pas** ou **n'... pas** dans ces phrases ? Nomme les chiffres appropriés.

a) Azimut ❶ veut ❷ faire un ❸ bonhomme.

b) Alizé ❶ a ❷ peur ❸ du monstre.

c) ❶ Zéphyr ❷ est ❸ heureux.

d) Zénith ❶ et son ami ❷ volent ❸.

e) ❶ Azur ❷ aime ❸ l'hiver.

»» Dans mon baluchon

blanc	bonhomme	hiver

z	za	pizza
	zi	Azimut
	zo	zone
	zé	zéro
	zè	zèle

s	si	cousine
	su	cousu
	son	maison

✎ faire, un, une

- Nomme les chansons de Noël que tu connais.
- Discute avec tes camarades de ce que vous pourriez faire avec vos bonshommes.

Ça reviendra

- Dis ce que tu sais de ce type de texte.
- Décris ce tableau.

Lis pour apprendre une chanson sur l'hiver et pour exprimer les beautés de cette saison par un collage. Ça t'aidera à explorer ton environnement en ce temps de l'année.

8•1

Chantons l'hiver

Printemps, été, automne, hiver,
Les jours, les nuits s'en vont, s'en viennent
Printemps, été, automne, hiver,
Les saisons passent et puis reviennent

1

La neige est blanche, le ciel est bleu
Je ris, je cours sous les sapins
Luge, glissade, ski ou patin
Vive l'hiver et tous ses jeux

2

Le vent est vif, l'étang gelé
J'ai le nez froid, les pieds glacés
Chocolat chaud, doux et crémeux
Vive l'hiver auprès du feu

Michèle Marineau

Hanging Out At Miller's Pond, Jane Wooster Scott

- Chante cette chanson à l'école et à la maison.
- Compare cette chanson à celle sur l'automne.

• Observe ces photos et communique oralement ce qu'elles t'apprennent sur l'hiver : les activités des gens, les animaux, les plantes et les arbres.

Images d'hiver

• Qu'as-tu appris de nouveau sur l'hiver ?
• Qu'est-ce qui revient chaque hiver ?

1. **Lis cette comptine et invente avec ta classe une façon originale de l'utiliser.**

À la queue leu leu,
Mon petit chat bleu,
S'il est bleu,
Tant mieux ;
S'il est gris,
Tant pis.

Georges Jean, *Le premier livre d'or des poètes*, © Seghers, Paris, 1975, p. 66.

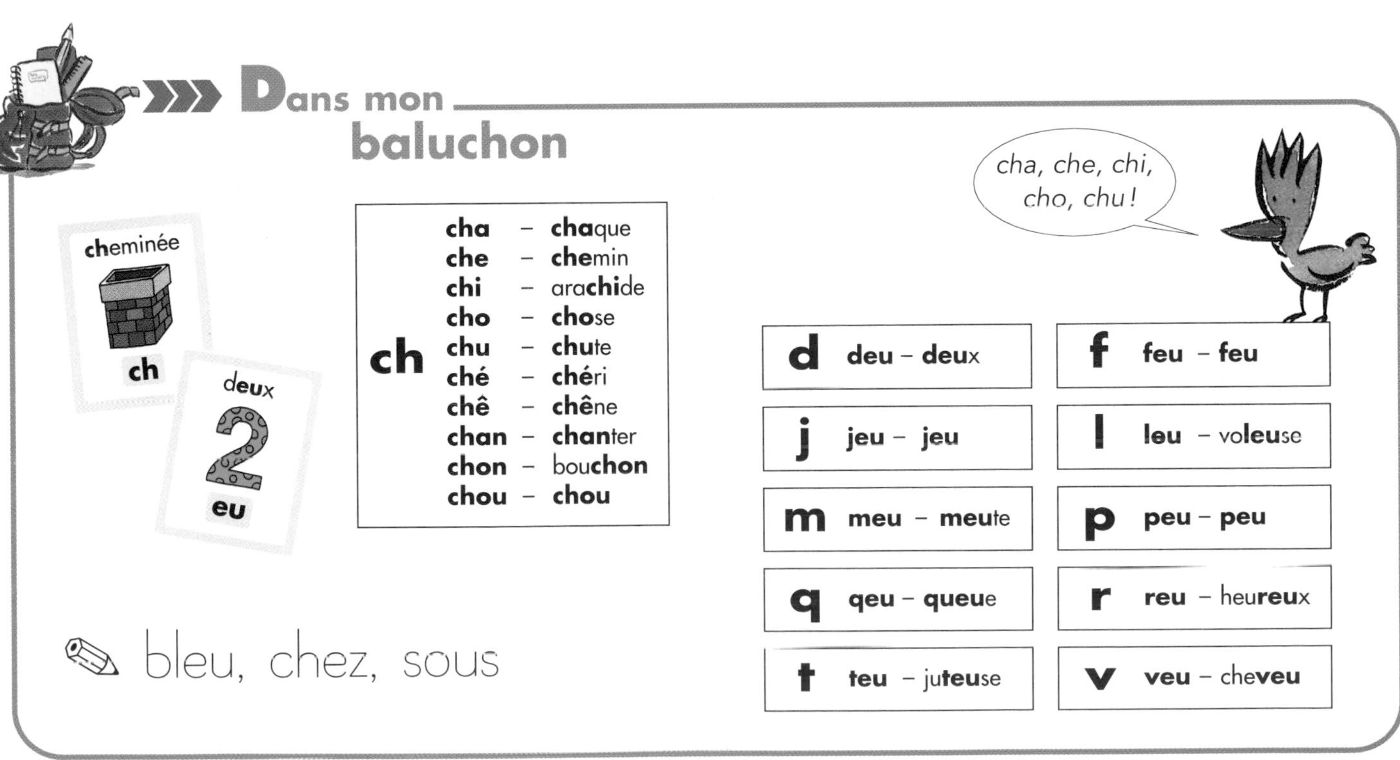

Dans mon baluchon

ch	cha	chaque
	che	chemin
	chi	arachide
	cho	chose
	chu	chute
	ché	chéri
	chê	chêne
	chan	chanter
	chon	bouchon
	chou	chou

d	deu	deux
f	feu	feu
j	jeu	jeu
l	leu	voleuse
m	meu	meute
p	peu	peu
q	qeu	queue
r	reu	heureux
t	teu	juteuse
v	veu	cheveu

✎ bleu, chez, sous

- Explique ce que tu as appris et aimé dans cette excursion.
- Dis ce que tu penses de ton collage sur l'hiver.

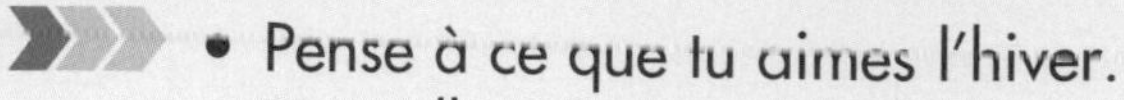

- Pense à ce que tu aimes l'hiver.
- Rappelle-toi ce qui se passe en hiver.

Compose avec des camarades un poème de quelques mots sur l'hiver. Ensuite, transcrivez-le à l'ordinateur et décorez-le.

Poème d'hiver

8•1

1. Observez ces poèmes. Qu'ont-ils de particulier ?

2. Composez un poème sur l'hiver à l'aide des modèles ci-dessus. Utilisez la fiche qu'on vous remet.

3. Relisez votre poème. Vérifiez-le à partir des questions suivantes.

- Avez-vous parlé de l'hiver ?
- Avez-vous respecté le code ?

- Écrivez votre poème à l'ordinateur et illustrez-le de façon originale.
- Dites ce que vous avez aimé faire dans cette situation d'écriture.

- Lis le titre du texte et observe les photos.
- Dis ce que tu sais sur les plantes et les arbres en hiver. Utilise la fiche qu'on te remet.

Lis le texte et découvre ce qui arrive dans la nature en hiver. Vérifie ensuite tes connaissances sur ce sujet. Ça t'aidera à mieux connaître ton environnement.

Les plantes et les arbres en hiver

Est-ce que les plantes meurent ?

1

Certaines plantes ne supportent pas le froid. Elles meurent à la fin de l'été. D'autres perdent leurs feuilles en hiver, mais leurs racines restent vivantes. De nouvelles tiges vont apparaître au printemps.

Est-ce qu'un arbre sans feuilles est mort ?

Les arbres sans feuilles sont au repos durant l'hiver. Chacun des bourgeons est enveloppé dans des écailles pour résister au froid. Au printemps, les bourgeons s'ouvrent et l'arbre grandit.

2

3

4

- Résume le texte dans tes mots.
- Explique ce que tu as appris sur les plantes et les arbres en hiver. Utilise ta fiche.

1. Lis les phrases pour savoir ce que font certains animaux en hiver. Associe chaque description à l'animal approprié.

1

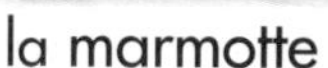

la marmotte

2 l'écureuil gris

3 le tamia rayé

a) Il passe l'hiver dans le sol.
Il a cinq bandes foncées sur le dos.

b) L'hiver, il aime sortir de son nid.
Il a une large queue grise.

c) Elle dort tout l'hiver.

Comment aider votre enfant à choisir un livre ?

Il est bon de lui faire examiner la page couverture en lui posant des questions semblables à celles-ci :

- *Est-ce un livre qui raconte une histoire ? qui donne des renseignements ?*
- *De quoi est-il question dans ce livre ?*
- *Connais-tu ces personnages ? Où les as-tu vus ?*

De plus, lisez-lui le résumé du livre, s'il y a lieu.

Dans mon baluchon

un

un

c	**cun**	– cha**cun**
j	**jun**	– **jun**gle
l	**lun**	– **lun**di
m	**mun**	– com**mun**
q	**qu'un**	– quel**qu'un**

STRATÉGIE

Avant de lire un texte, je regarde le titre et les photos ou les illustrations pour avoir une idée de ce que je vais découvrir.

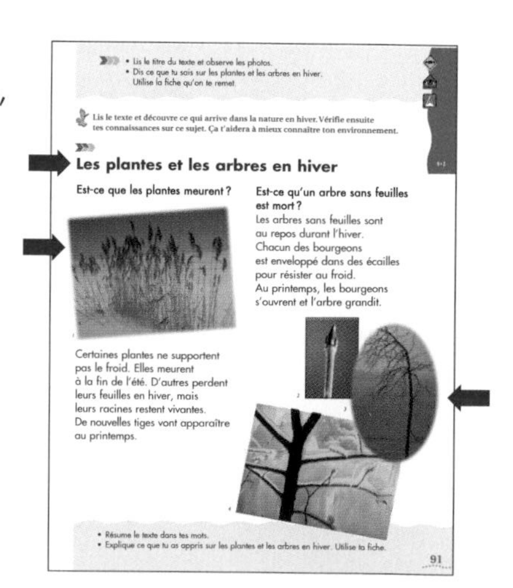

- Lis le titre du texte et observe les photos.
- Dis ce que tu sais sur les plantes et les arbres en hiver. Utilise la fiche qu'on te remet.

Lis le texte et découvre ce qui arrive dans la nature en hiver. Vérifie ensuite tes connaissances sur ce sujet. Ça t'aidera à mieux connaître ton environnement.

Les plantes et les arbres en hiver

Est-ce que les plantes meurent ?

Certaines plantes ne supportent pas le froid. Elles meurent à la fin de l'été. D'autres perdent leurs feuilles en hiver, mais leurs racines restent vivantes. De nouvelles tiges vont apparaître au printemps.

Est-ce qu'un arbre sans feuilles est mort ?

Les arbres sans feuilles sont au repos durant l'hiver. Chacun des bourgeons est enveloppé dans des écailles pour résister au froid. Au printemps, les bourgeons s'ouvrent et l'arbre grandit.

- Résume le texte dans tes mots.
- Explique ce que tu as appris sur les plantes et les arbres en hiver. Utilise ta fiche.

91

✎ à, brun, brune

- Discute avec tes camarades de ce que ta famille fait pour s'adapter à l'hiver.

Ton projet

Fabrique un objet

Quel objet veux-tu fabriquer ? Veux-tu faire un objet qui peut t'être utile ou pour t'amuser ? Sers-toi du texte suivant pour t'inspirer !

- De quel matériel as-tu besoin ? du papier, du carton, du tissu ou des contenants de plastique ? de la ficelle, des boutons, des morceaux de laine ?
- Quels outils utiliseras-tu ? des ciseaux, une règle, des crayons de couleur ? un ordinateur, une tablette à dessin ?

Présente ta production et évalue-la avec ta classe.

- Survole le texte et dis ce que tu y vois.
- Explique à quel autre texte celui-ci ressemble.

Lis le texte et découvre comment faire les jouets suivants. Ensuite, fabriques-en un. Ça te permettra de vivre une expérience d'équipe.

9•1

Des idées de jouets

Voici des jouets que tu peux fabriquer toi-même si tu les observes bien.

1. Un animal berçant

a) Comment l'animal est-il fixé sur la boîte de conserve?

b) Qu'est-ce qui permet à la boîte de conserve de rouler dans les deux sens?

2. Un trompe-l'œil

a) Comment les deux dessins sont-ils fixés? dos à dos? face à face?

b) Comment faire croire que l'animal est enfermé dans sa cage?

3. Un diable à ressort

a) Comment la tête tient-elle ?
b) Comment le couvercle se referme-t-il ?

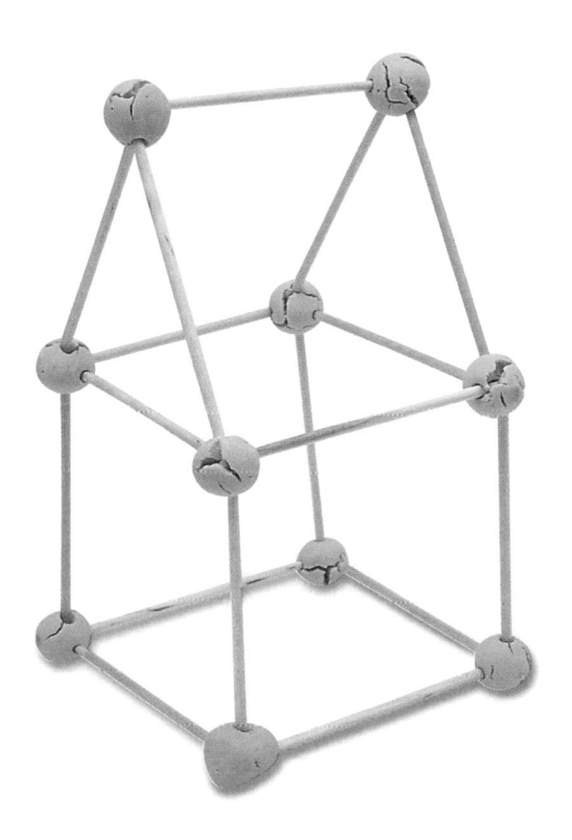

4. Une maison en cure-dents

a) Quelles figures sont faites avec des cure-dents ?
b) Combien de boulettes de pâte à modeler faut-il ?

- Fabrique ton jouet et communique oralement ta façon de t'y prendre.
- Explique en quoi tes camarades t'ont été utiles.

1. **Voici les véhicules que des élèves de ton âge ont inventés. Associe chaque véhicule à la description appropriée.**

a) Ce véhicule a un volant. Il n'a pas de conducteur.

b) Ce véhicule n'a pas de petites roues. Il n'a pas de vitres.

c) Ce véhicule n'a pas de larges roues. Il a des portières.

d) Ce véhicule a du jaune. Il n'a pas de bleu.

x	**xe**	bo**xe**
	xi	ta**xi**
	xan	Ale**xan**dra

• Dis en quoi cette excursion t'est utile pour réaliser ton projet.

- Comment peux-tu distinguer ce qui est vivant de ce qui est inanimé ?

Vivant ou inanimé ?

1. **Regarde les photos et fais part de tes observations à partir des questions suivantes.**

a) Lesquels peuvent grandir ?

b) Lesquels peuvent naître et mourir ?

c) Lesquels peuvent se reproduire ?

2. **Classe les photos du numéro 1 comme dans l'exemple suivant. Utilise la fiche qu'on te remet.**

<table>
<tr><th colspan="2">Vivant</th><th>Inanimé</th></tr>
<tr><td colspan="2">êtres humains</td><td rowspan="2"></td></tr>
<tr><td>animaux</td><td>végétaux
(arbres et plantes)</td></tr>
</table>

- Que sais-tu maintenant sur les êtres vivants ? sur les objets inanimés ?

- Trouve le nom de l'auteure.
- Lis les mots que tu reconnais d'un seul coup d'œil.

Lis le texte et découvre ce qu'un enfant aimerait faire avec son ours en peluche s'il était vivant. Ça t'aidera à réfléchir à ce qui distingue les êtres vivants des objets inanimés.

9•2

Flocon

Si Flocon était un vrai ours polaire,
ce serait le plus beau, le plus gros de tous les animaux !
Tout le monde dirait : « Qu'ils sont chanceux
d'avoir un ours polaire à eux ! »

Si Flocon était un vrai ours polaire,
ce serait tellement amusant l'hiver !
Il m'apprendrait à pêcher sur le lac gelé.
On jouerait dans la neige toute la journée.

Le soir, il me porterait sur son dos pour rentrer.
Il serait un peu triste, et moi aussi,
car il faudrait se quitter pour la nuit.
Papa dirait : « Il est trop gros pour dormir dans ton lit.
Il va défoncer le plancher, il va tout renverser. »

Mais les ours en peluche, on les apporte avec soi.
On peut les serrer dans ses bras, leur parler tout bas.
Ils ne protestent même pas si on les oublie quelque temps.
Les ours en peluche sont des amis épatants !

Pierrette Dubé

- Dis ce que tu penses de ce texte.
- Nomme les activités que voudrait faire l'enfant avec son ours Flocon.

1. **Exerce-toi à lire des mots qui contiennent le son o, puis précise si les éléments suivants sont vivants ou inanimés.**

a) une vache et son veau

b) une auto et un bateau

c) un saumon et un crapaud

d) un faucon et un vautour

e) un bureau et une table

f) un restaurant et un plateau

g) un saule et un bouleau

h) une chauve-souris et un oiseau

i) de l'eau et des nuages

Dans mon baluchon

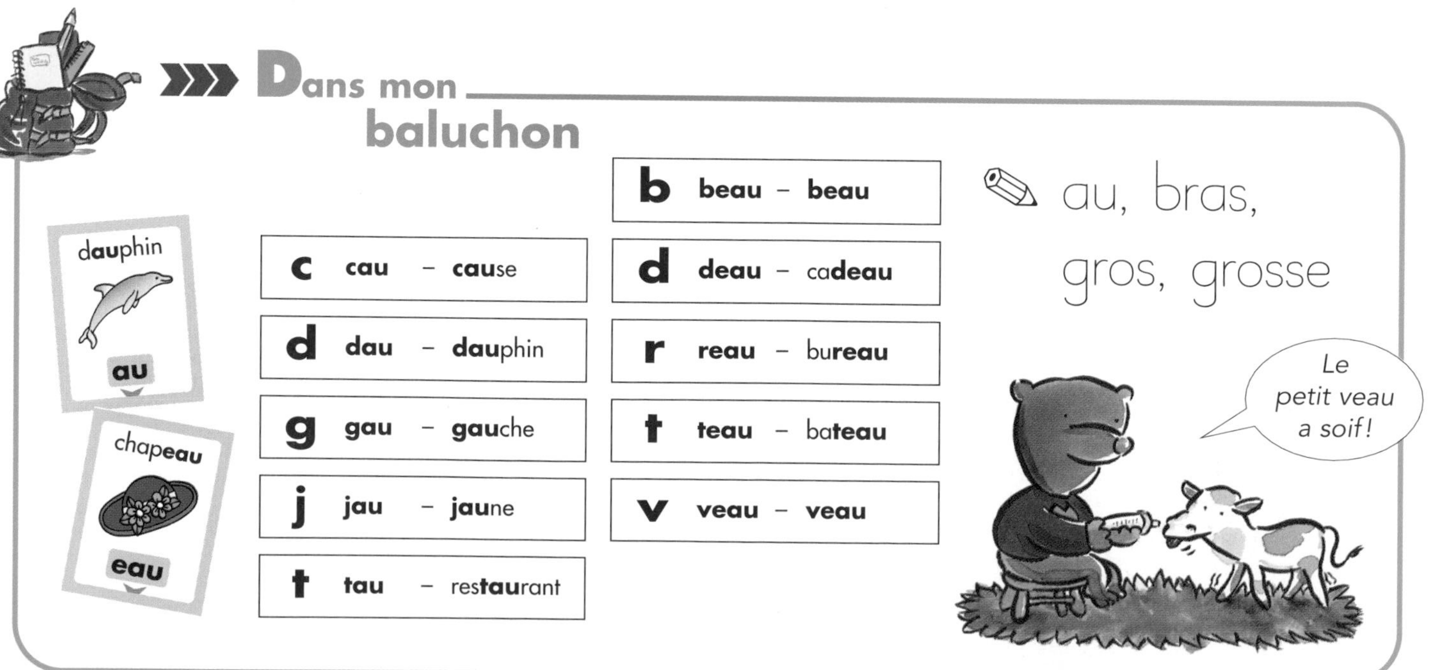

c	**cau**	– **cau**se
d	**dau**	– **dau**phin
g	**gau**	– **gau**che
j	**jau**	– **jau**ne
t	**tau**	– res**tau**rant

b	**beau**	– **beau**
d	**deau**	– ca**deau**
r	**reau**	– bu**reau**
t	**teau**	– ba**teau**
v	**veau**	– **veau**

au, bras,
gros, grosse

• Explique ce qui t'a surtout plu dans cette excursion.

- Dessine ton personnage jouet préféré en train d'accomplir une activité qu'il pourrait faire s'il était un être vivant.

Rédige un court texte pour raconter ce que tu pourrais faire avec ton personnage jouet préféré s'il était vivant. Ensuite, tu exposeras ton texte et ton jouet.

Je ferais...

1. Observe le modèle qui suit.

Si Nestor mon dinosaure
était vivant, ce serait amusant
de faire du patin avec lui.
Je le tiendrais par la patte.
On ferait des courses.
Ce serait formidable !

2. Écris ton histoire à l'aide du modèle ci-dessus. Utilise la fiche qu'on te remet.

3. Relis ton texte. Vérifie-le à partir des questions suivantes.

- As-tu parlé de ton personnage jouet ?
- As-tu respecté le code ?

Dans mon baluchon

STRATÉGIE

Quand je ne sais pas comment écrire un mot, je peux :
- l'écrire comme je le pense ;
- le mettre en évidence pour le vérifier plus tard.

Si Nestor était un vrai dinosaure...

- Récris ton texte au propre.
- Dis ce que tu en penses.

- Dis de quel type de texte il s'agit. Explique ta réponse.
- Lis les mots que tu reconnais d'un seul coup d'œil.

Ä

Lis le texte et découvre comment est le personnage décrit. Ensuite, en équipe, vous mimerez ce texte de façon originale. Puis, tu exploreras les caractéristiques des objets fabriqués.

9•3

C'est moi !

Je suis fait de métal et de plastique
Et deux piles me rendent dynamique.

Mon cerveau est un ordinateur,
Ma bouche, un haut-parleur.

Mes yeux, des lumières qui brillent,
Mon nez, un bouton qui frétille.

Si vous le demandez,
À droite, à gauche, ma tête va tourner,
Et mes longs bras vont se déplier.

Si vous le voulez,
En avant, en arrière, mon corps va bouger
Et mes deux jambes vont gigoter.

Si vous le désirez,
Des bruits saccadés, des sons compliqués
Vont vous étonner.

C'est moi, le robot, vous l'avez deviné !

Suzanne Blain

- Décris le robot.
- Mime ce texte avec ton équipe.

- Que pourrais-tu dire des objets qui t'entourent dans la classe?
- De quoi sont-ils faits? D'où viennent-ils?

Les objets fabriqués

1. Que peux-tu dire des ensembles d'objets suivants? En quoi sont-ils semblables? différents?

1

2

2. Décris chacun des objets suivants en utilisant un mot par colonne.

léger	rond	mou	long	sombre	doux
lourd	carré	dur	court	clair	rugueux
	pointu		petit	transparent	lisse
	rectangulaire		mince	brillant	
			grand		
			gros		

3 4 5 6

7 8 9 10

3. Classe quelques-uns des objets du numéro 2 sur la fiche qu'on te remet.

- Comment sont les objets fabriqués?
- Qui peut fabriquer des objets?

1. Fais le ménage de ton pupitre. Lis ensuite ces consignes pour vérifier si tu as bien fait ta tâche.

a) Regrouper les crayons à colorier.

b) Placer les livres et les cahiers.

c) Ranger les crayons et la gomme à effacer.

d) Jeter ou récupérer ce qui ne sert plus.

e) Ramasser des papiers sur le plancher.

f) Mettre de côté ce qui va à la maison. Puis, le ranger dans le sac d'école.

• Dis ce que tu penses de ton expérience en équipe.

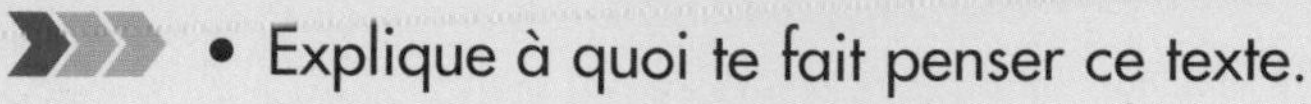

- Explique à quoi te fait penser ce texte.
- Raconte une situation où tu as dit : « Ça fait du bien ! »

Lis pour découvrir les activités préférées d'une enfant de ton âge. Ensuite, tu les compareras aux tiennes. Ça t'aidera à mieux te connaître.

9•4

Ce que j'aime le plus

Jouer avec mon amie Coralie,
ça fait du bien.

Se rouler dans la neige
et glisser sur les collines,
ça fait du bien.

Entrer dans un bon bain chaud
et faire danser des bulles,
ça fait du bien.

Faire un câlin à mon toutou
et me faire lire un livre,
ça fait du bien.

Mais ce que j'aime le plus,
c'est papa ou maman
qui me le donne :
quatre baisers très doux,
un, deux, trois, quatre,
et le dernier sur la joue !

Marie-Christine Lussier

- Nomme les activités qui font du bien à cette enfant. Utilise la fiche qu'on te remet.
- Communique oralement à la classe ce qui te fait du bien.

1. **Relis la comptine à voix haute. Complète-la avec les mots de ton choix.**

Jouer avec . . .
ça fait du bien.

Se rouler dans la neige et . . .
ça fait du bien.

Entrer dans un bon bain chaud et . . .
ça fait du bien.

Faire un câlin à mon toutou et me faire . . .
ça fait du bien.

Mais ce que j'aime le plus, c'est . . . .

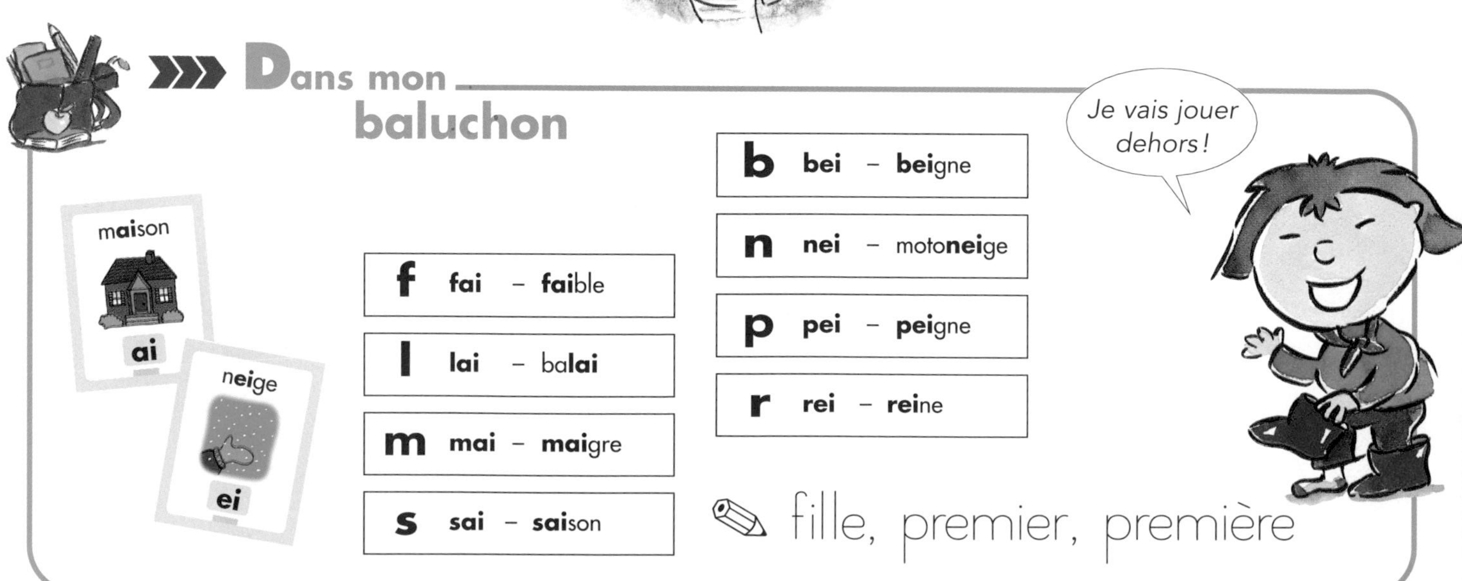

- Explique en quoi cette excursion t'a permis de mieux te connaître ou de connaître tes camarades.

Faisons le point ensemble

Dans mon baluchon

Je veux lire avec mes amis.

1. Voici les mots des étiquettes vues récemment. Avec tes camarades, invente des façons de les revoir.

âge	classe	jouer	plusieurs
aperçois	derrière	longtemps	premier
beau	deux	maison	quatre
bien	dix	neige	sept
blanc	droite	neuf	six
boîte	fait	Noël	trois
bonhomme	fenêtre	nuit	vais
certains	froid	œuf	ventre
chaud	gauche	oiseau	
cheminée	heureux	papier	
chez	hiver	pied	
cinq	huit	plus	

Que penses-tu de ta façon de lire ces mots ? Choisis le visage qui correspond à ta réponse et explique-toi.

Dans mon baluchon

**2. Voici les mots d'orthographe.
Avec tes camarades, invente des façons de les revoir.**

à	du	mère	ses
ami	école	mes	son
amie	elle	midi	sous
au	en	mon	sur
bleu	faire	non	ta
bon	fille	ou	te
bonbon	gros	père	tes
bonne	grosse	pied	tête
bouche	il	pomme	ton
bras	je	poule	tu
brun	la	pour	un
brune	le	premier	une
chez	les	première	vert
cou	ma	rue	verte
dans	me	sa	yeux
de			
des			

Que penses-tu de ta façon d'écrire ces mots ? Choisis le visage qui correspond à ta réponse et explique-toi.

Les cartes Oreillimot

Dans mon baluchon

Les cartes Oreillimot *(suite)*

Dans mon baluchon